KB104007

잠시, 쉬어 갈까요?

잠시, 쉬어갈까요?

발 행 | 2023년 08월 01일
저 자 | 김근영
펴낸이 | 한건희
펴낸곳 | 주식회사 부크크
출판사등록 | 2014.07.15.(제2014-16호)
주 소 | 서울특별시 금천구 가산디지털1로 119 SK트윈타워 A동 305호
전 화 | 1670-8316
이메일 | info@bookk.co.kr

ISBN | 979-11-410-3781-9

www.bookk.co.kr
ⓒ 잠시, 쉬어갈까요? 2023
본 책은 저작자의 지적 재산으로서 무단 전재와 복제를 금합니다.

잠시, 쉬어갈까요?

김근영 지음

목 차

3부 글 속에 담긴 교훈 생각하기

4부 글 속에 담긴 삶의 지혜 실천하기

1부
배움 그리고 생각하기

출발점

운전하고 가다가 신호등에 잠시 멈춰서서 건널목을 지나가는 사람들의 모습을 지켜보았습니다. 내 눈에 비친 사람들의 모습 속에 젊은 사람들이 많다는 느낌이 들었습니다. 그리고 이어서 드는 생각이 "내 나이가 이제 저 사람들보다 많아졌구나!"라는 생각이 들었습니다. 어느덧 시간의 흐름 속에 오십을 넘은 나이 먹은 사람이 되었습니다. 인생에 대해서 말하기에 편안한 나이가 되었다는 생각이 들면서, 한편으로는 젊은 시절에 대해 아쉬움과 그리움이 남습니다.

나이라는 숫자가 쌓여가면서 나에 관한 질문을 자주 하게 됩니다. "나는 어떤 사람인가?", "내게 주어진 인생을 잘살고 있는 것인가?", "내게 맡은 일을 잘 하고 있는 것인가?"라는 이런 질문을 하면서 양가감정을 느끼게 됩니다. 나 스스로 어떤 때는 괜찮은 사람이라는 생각이 들기도 하다가, 때로는 참 부족하고 어리석은 사람이라는 생각이 들기도 합니다. 내게 주어진 인생을 잘 사는 것처럼 느끼다가도, 어떤 일이 잘 풀리지 않으면 내 인생에 대한 좌절감을 느끼기도 합니다. 양극단의 감정을 오가면서 조금씩 성장하는 것이 인생이지 않을까 하는 생각의 정리를 해 보게 됩니다.

과거보다 생각이 깊어지고, 사고의 범위가 넓어지는 경험을 하고 계시지요? 해지고, 지혜로워진다는 증거입니다. 나만을 생각하다가, 내 옆에 있는 사람을 생각하게 되고, 내가 속한 공동체의 방향성에 대해서 생각하고 있는 자신을 발견한다면 성숙해지고 있다는 방증입니다. 운명공동체라는 말이 있습니다. 한배를 타고 있다는 말도 있습니다. 이 말의 의미를 마음속으로 느끼고 받아들인다면 성숙한 사람, 맞습니다.

우리는 성숙한 사람의 모습으로 살아가야 합니다. 성숙한 사람은 최선의 선택을 하며 살아갑니다. 최고의 선택은 나만을 위한 선택일 것입니다. 최선의 선택은 나와 우리 모두를 위한 선택입니다. 성숙한 사람은 최고의 선택을 알고 있지만, 타인을 위해 최선의 선택을 하며 삽니다. 내 생각과 주장보다 타인의 생각과 주장을 수용하고, 받아 줍니다. 보의 미덕을 발휘합니다. 최고보다, 최선의 선택을 하면서 화합과 조절을 하며 살아갑니다.

성숙한 사람은 큰 소리를 내지 않습니다. 경청을 우선하며, 주제를 잘 정리해서 이해하고, 상대방의 의견을 묻습니다. 상대방의 의견이 나와 유사하거나 큰 차이가 없다면, 상대방의 의사를 존중하고 동의해 줍니다. 일을 앞서서 하는 사람에게 힘을 보태주고, 협력을 통해 더 좋은 결과를 만들어 낼 수 있도록 조력의 역할을 잘해줍니다. 일은 혼자 하는 것이 아닙니다. 함께 함으로 좋은 결과를 만들어 내고, 서로를 위해 손뼉을 쳐주는 순간을 만드는 것이 일을 잘하는 것입니다.

성숙한 사람은 격려와 응원의 말을 합니다. "칭찬은 고래도 춤추게 한다"라는 책 제목이 있습니다. 칭찬과 격려의 말을 해 주시기 바랍니다. 일을 하는 사람에게 힘과 용기를 주는 말을 하시기 바랍니다. 우리는 모두 각자 맡은 일이 있습니다. 그 맡은 일을 잘 살펴보면, 나만 해당하는 일이 아닙니다. 우리 모두에게 해당하는 일을 지금 내가 하는 것입니다. 그러므로 내가 맡은 일을 잘한다는 것은 우리 모두를 위해 꼭 필요한 일을 하는 것입니다. 자긍심을 갖고 사시기 바랍니다. 성숙한 사람의 입장을 견지하며 살아가시기를 바랍니다.

성숙한 사람은 변화를 두려워하지 않습니다. 변화는 우리의 일상입니다. 계절의 변화, 기후의 변화, 삶의 환경 변화, 교육제도의 변화, 전 세계의 경제구조 변화 등등 우리의 삶은 늘 변화 속에서 이루어져 왔고, 앞으로도 늘 변화할 것입니다. 그중에 우리가 주목

하는 것은 교육제도의 변화입니다. 디지털 시대에 들어서면서 그 변화의 속도는 몇백 더 빠르게 진행될 것입니다. 교육에 어떤 변화가 주어질지 정확하게는 알 수 없습니다. 하지만, 지금까지 하던 방식으로 하면 안 된다는 것은 명약관화합니다.

성숙한 사람은 철학이 있습니다. 철학이 있는 인생을 사는 사람은 나 자신의 존재 이유에 대한 분명한 키워드를 가지고 살아갑니다. "교사는 학생을 위해 존재한다.", "학생이 있는 곳에 교사가 있다.", "교사는 학생을 위한 일이라면 어떤 일이라도 할 수 있다" 등등 성숙한 사람은 내가 맡은 역할에 대한 분명한 책임 의식을 가지고 살아가는 사람입니다. 이런 성숙한 사람들이 모인 곳이 이곳입니다. 교육의 변화 지금 당장 할 수 있는 일입니다. 지금 당장 해야 하는 일 맞습니다. 이 변화를 통해 우리 학생들이 꿈과 비전이 세워집니다.

출발점, 변화를 시작하는 그 지점이 출발점입니다. 출발점에서 해야 할 일은 출발하는 것입니다. 변화를 위한 한 걸음을 내딛는 것입니다. 혼자 내딛는 것이 아니라, 함께 내딛는 것입니다. 디지털 시대에 변화하는 교육 현장을 선도해 가는 발걸음이 되기를 기대합니다. 할 수 있습니다. 해야 합니다. 우리 모두를 위해...

교육단상

　학교의 역할은 무엇일까요? 학습자에게 배움과 성장의 기회를 제공하는 역할을 해야 합니다. 한 개인이 인생을 살아가는데 필요한 지식과 기능을 배우고 익힐 수 있는 장소를 제공해야 합니다. 지식을 가르치고, 지혜를 경험케 함으로 한 개인의 꿈과 미래 비전을 이루어 갈 수 있도록 돕는 역할을 해야 합니다. 동시대를 살아가는 사람들이 함께 모여 각자의 꿈을 준비할 수 있는 환경을 제공해야 합니다.

　선생님의 역할은 무엇일까요? 먼저 인생길을 걸어가며 학습자를 올바른 길로 이끌어 주는 가이드 역할을 해야 합니다. 학습자에게 무한한 가능성이 펼쳐져 있음을 알려주고, 자신의 꿈을 크게 갖도록 동기를 유발하는 좋은 역할을 해야 합니다. 선생님이 해주시는 교훈적인 말 한마디, 칭찬과 격려가 학습자에게 작은 용기를 갖게 합니다. 용기를 내어 꿈을 향해 도전하게 됩니다. 결국 꿈을 이루는 쾌거를 이루게 됩니다.

교육과정을 만드는 목적은 무엇일까요? 학습자가 단계별로 배워야 하는 과정을 순서대로 잘 나열하여 학습자의 성장을 끌어내는 역할을 합니다. 기초단계부터 시작하여 중급, 고급으로 난이도를 높여가면서 교육과정을 설계합니다. 교육과정은 다양한 지식의 영역을 가지고 와서 서로 잘 융합하도록 만드는 어려운 설계작업입니다. 한 개인을 대상으로 하기도 하고, 단체를 대상으로 하기도 합니다. 교육의 설계도는 꼭 필요합니다.

교육활동은 누구를 위한 것일까요? 모든 교육활동은 학습자를 위한 것입니다. 그들의 성장과 성숙을 위해 필요한 모든 활동을 교육활동이라고 합니다. 교실 안과 밖이 모두 교육활동이 이루어지는 장소입니다. 다양한 교육활동은 직접적인 경험과 간접적인 경험을 고루 경험하도록 만들어 줍니다. 지식의 영역을 넓혀주고, 지혜의 영력을 경험하게 만들어 줍니다. 그래서 학습자에게 다양한 교육활동에 참여할 수 있는 기회를 제공해 주어야 합니다.

교사는 학습자를 어떻게 바라보아야 하나요? 다양한 의견이 있을 것입니다. 그중에 한 가지를 언급한다면 "가능성을 품은 존재"

입니다. 청출어람(靑出於藍)을 할 수 있는 존재로 바라보는 것입니다. 교사가 가르친 학습자들이 훌륭한 사람이 되어 나라와 민족을 위해 쓰임을 받는 모습을 보게 됩니다. 먼 훗날 훌륭한 사람이 될 것이라는 믿음을 가지고, 가능성을 품은 존재로 바라보아야 합니다.

학습자에게 질문, 3년 동안 학교에 다니고 난 후 얻게 된 것은 무엇인가요? 학습자에게 질문해 보시기 바랍니다. 3년의 세월을 뒤돌아보는 피드백이 될 것입니다. 부족한 부분을 언급한다면, 즉시 교육과정에 반영하여 수정해야 합니다. 좀 더 나은 교육과정으로 변경하여 학습자들의 피드백을 긍정으로 바꾸어 놓아야 합니다. 긍정적인 부분에 대한 언급을 통해 보람을 느끼시기를 바랍니다.

교사에게 질문, 3년 동안 학교에 다닌 학습자가 얻게 되는 것은 무엇일까요? 무엇을 목표로 가르치셨나요? 내가 가르친 지식과 삶의 지혜가 학습자에게 어떻게 적용되기를 원하셨나요? 등등의 다양한 질문으로 확장하여 스스로에게 질문해 보시기 바랍니다. 학습자가 변화하는 세상속에서 당당히 살아갈 수 있도록 배우고 익혀야 하는 지식과 지혜를 잘 가르쳤는지 되물어 보시기 바랍니다.

앞으로 학교는 무엇을 해야 할까요? 한마디로 빠른 세상의 변화를 수용해야 합니다. 아날로그에서 디지털로 변화하는 세상을 따라가야 합니다. 오히려 앞서가야 합니다. 학습자들이 살아갈 미래는

디지털로 만들어진 세상이 됩니다. 그 변화를 따라가고, 선도해 나갈 수 있는 역량을 키워주어야 합니다. 교육과정의 변화와 교사의 변화와 학교 환경의 변화는 필수적입니다. 어떻게 변해야 할지 고민할 시점이 지금입니다.

'위대한 일'은 따로 없다

역사 속에 위대한 인물이 존재합니다. 그가 위대한 인물이 된 것은 그 시대에 큰일을 했기 때문입니다. 그가 그런 큰일을 어떻게 했는지 잘 살펴보면 위대한 인물과 뜻을 같이해준 수많은 사람이 있었다는 것을 찾게 됩니다. 혼자 한 일이 아니라 함께 한 일이었기에 위대한 일이 된 것입니다. 혼자서는 큰일을 할 수 없습니다. 함께 뜻을 같이하는 사람들이 있어야 큰일을 할 수 있습니다.

큰일을 하고, 위대한 인물이 되고자 한다면 먼저 사람들의 마음을 얻어야 합니다. 함께 할 수 있는 사람들이 있어야 큰일을 할 수 있기 때문입니다. 사람들의 마음을 얻는 것은 덕을 쌓는 일입니다. 덕이란 사람들의 마음에 편안함을 주고, 자신의 시간과 에너지를 나누어 주는 것입니다. 즉 사람들을 살피고, 돕고, 섬기는 일을 하는 것입니다. 과거 훌륭한 일을 한 사람들을 보면, 어려운 사람을 볼 때 남들이 모르게 도움의 손길을 편 일화들이 있습니다. 이런 따뜻한 마음이 사람들의 마음을 움직였고, 큰일을 할 수 있게 만들었습니다.

일은 사람이 합니다. 일을 잘하려면 함께 할 사람을 찾아야 합니다. 함께 할 사람을 찾으려면 먼저 자신이 좋은 사람이 되어야 합니다. 유유상종이라는 말이 있습니다. 좋은 사람 옆에는 좋은 사람이 가까이 옵니다. 나쁜 사람 옆에는 나쁜 사람이 가까이 다가옵니다. 그러므로 먼저 자신이 좋은 사람, 덕을 베푸는 사람이 되어야 합니다. 그러면 함께 할 사람을 얻게 되고, 큰일을 감당할 수 있습니다.

사람들은 존중받음을 느낄 때 능동적으로 맡겨진 일을 잘 감당합니다. 각자가 자신이 맡겨진 일을 잘 감당할 때 공동체가 큰일을 도모할 수 있습니다. 한사람, 한사람이 하는 일은 정해져 있지만, 이 일들이 모이면 시너지 효과가 나타나게 됩니다. 그러면 목표한 것보다 더 좋은 결과를 얻게 되는 현상을 경험하게 됩니다. 한사람, 한사람이 능동적으로 조금씩 더 해준 그 작은 일이 큰일을 만드는 원동력이 되어준 것입니다.

한 사람을 소중히 여기시기 바랍니다. 한 사람을 잃어버리면 다 잃은 것이 될 수도 있습니다. 한 사람을 소중히 여기시기 바랍니다. 존중해 주시고, 경청해 주시기 바랍니다. 큰 방향의 틀 안에서 모든 것을 수용하는 관점을 견지해 주어야 합니다. 사람들은 지시하는 일을 할 때보다, 자신이 제안하고 그 일이 채택되어 할 수 있을 때 더 능동적으로 움직인다는 보편적인 진리를 적용해 보시기 바랍니다.

한 공동체에 머물 수 있는 시간은 한정되어 있습니다. 앞으로 이 공동체에 몇 년 남아있게 될지 한번 세어 바랍니다. 길지 않을 것입니다. 이 한정된 시간 속에서 함께 한 사람들과 능동적으로 즐겁게 일하는 시간을 만들어 가시기 바랍니다. 내 마음대로가 아니라, 함께 뜻을 세워가며 일을 하시기 바랍니다. 그 일은 큰일이 될 것입니다. 이 공동체를 떠나게 될 때 좋은 기억으로 남는 사람이 되어 주시기 바랍니다.

시간은 지금 이 순간에도 흘러가고 있습니다. 내가 서 있는 이 자리는 우리 선배들이 서 있었던 자리였습니다. 그리고 언젠가 후배들이 맡게 되는 자리가 될 것입니다. 선배들이 그랬던 것처럼 후배들에게 좋은 모습을 보여줌으로 선배된 이의 아름다운 발자취를 남겨 주시기 바랍니다. 유한한 자리임을 인식하며, 덕을 베풀며 살아가시기를 바랍니다.

학생 한 사람, 한 사람을 바라보며, 내가 서 있는 이 자리의 무게감을 느껴보시기를 바랍니다. 한 학생으로 인해 내가 이곳에 존재함을 느껴야 내가 이곳에 서 있는 이유를 발견한 것입니다. 그 이유를 발견하는 것이 본질을 마음에 품고 사는 진정한 교육자의 모습을 견지하는 것입니다.

아이를 현명하게 키우려면?

사람들이 드라마나 영화를 보는 이유는 무엇일까요? 단순하게 대답하면 재미있기 때문입니다. 주인공을 중심으로 함께 살아가는 사람들이 사건과 사고를 만듭니다. 그리고 그 일을 해결해 나가는 과정을 그리면서 서로에 대한 이해와 도움을 주고받으며 결론은 행복하게 끝나는 이야기로 만들어 갑니다. 때로는 비극적으로 끝나기도 합니다. 드라마나 영화는 희극이든, 비극이든 우리의 삶을 돌아볼 수 있는 기회를 제공해 줍니다. 한 편의 인생 같은 영화를 보면서, 한 편의 영화 같은 인생을 살고 싶은 마음이 들게 합니다.

우리는 한 편의 드라마나 영화를 보면서 삶에 대해 성찰하게 됩니다. 주인공의 선택과 결정에 대해서 생각해 보게 되고, 나라면 어떤 선택을 했을까 자신에게 질문해 보기도 합니다. 그 상황에서 어떤 선택을 하는 것이 옳았을까? 라는 질문을 통해 다양한 선택지를 생각해 보게 됩니다. 그 과정에서 주인공의 선택과 나의 선택을 비교해 보게 됩니다. 경우의 수를 생각하면서 영화의 결론이 한 가지가 아닌 여러 가지 결론으로 만들어지는 것을 경험하게 됩니다.

드라마나 영화가 내게 던져주는 인생에 관한 질문 앞에 서 보시기 바랍니다. 한 사람의 인생을 다룬 드라마나 영화를 보고 있으면 삶에 대한 여러 가지 질문 앞에 서게 됩니다. 나는 어떤 사람인가? 나는 어떤 삶을 살고 있는가? 나는 어디를 향해 가고 있는가? 내가 해야 할 일은 무엇인가? 등등 다양한 철학적 질문 앞에 서게 됩니다. 즉답을 할 수는 없지만, 한 번쯤 현재의 내 삶을 돌아보는 계기로 삼아봅니다. 타인의 이야기가 나에게 주는 인생의 교훈을 발견하시기 바랍니다.

어린이들도 어른들처럼 이야기를 좋아합니다. 드라마나 영화보다 어린이들의 눈높이에 맞춘 만화나 애니메이션을 좋아합니다. 상상의 나래를 펼칠 수 있는 이야기들을 좋아합니다. 이야기 속 주인공을 좋아해서 따라 합니다. 악당을 물리치는 주인공이 멋있어 보입니다. 어려운 사람들을 도와주는 주인공의 모습을 보고 나도 저렇게 할 거야라고 말합니다. 여행을 떠나는 주인공을 보며 상상의 나래를 펼치며 잠에 빠져듭니다.

어린이들은 다양한 이야기를 보고, 들으며 성장해 갑니다. 그래서 좋은 이야기를 들려주어야 합니다. 좋은 이야기를 통해 생각하는 힘을 길러주고, 자기 생각을 이야기할 수 있는 자리를 마련해 주고, 다른 친구들의 이야기를 들으며 배움을 얻을 수 있는 환경을 마련해 주어야 합니다. 무엇인가 가르치려고 하기보다, 이야기를 들려주므로 생각할 수 있는 환경을 만들어 주는 것, 이것이 좋은 교육의 한가지 모습입니다.

일상에 일어나는 작은 이야기들을 기록해 보시기 바랍니다. 내 삶의 작은 부분을 이야기로 만들어 어린이들에게 들려주시기를 바랍니다. 어린이들은 이야기를 잘 듣고, 그 이야기 속에 담겨 있는 교훈을 배우게 됩니다. 이야기에 힘이 담겨 있습니다. 동화책을 읽어 주시기 바랍니다. 문자를 통해 읽어가는 것도 좋지만, 사람의 음성으로 들려주는 동화 이야기는 우리의 머릿속에 오래도록 기억으로 남습니다. 책을 읽어주는 부모님, 책을 읽어주는 선생님이 되시기 바랍니다. 그 음성 속에 담겨 있는 따스한 감성을 어린이들에 전달해 주시기 바랍니다.

좋은 교육은 지식의 전달이라는 한계를 뛰어넘어, 한 사람의 인생에 선한 영향력을 미칩니다. 좋은 교육을 하기 위해 많은 고민이 필요합니다. 교사는 학습자 스스로 자신의 미래를 생각하며 준비할 수 있도록 동기를 유발하는 역할을 잘해야 합니다. 과거보다 더 이 역할의 중요성이 커지고 있는 상황입니다. 어린이들, 학생들이 자신의 미래를 꿈꾸어 나갈 수 있도록 좋은 자극을 주고, 동기를 유발하는 선한 역할에 집중해야 합니다.

'평생 교육'이 필요한 이유

　사람은 교육을 통해서 성장합니다. 지식교육, 감성교육, 재능교육, 윤리교육, 신앙교육 등등의 교육을 통해서 온전한 사람으로 성장하고 성숙해 갑니다. 교육은 한 사람의 일생에 중요한 영향력을 미치는 요소가 됩니다. 그래서 좋은 교육을 받을 필요가 있습니다. 한 번뿐인 인생이기에 의미 있고, 가치 있게 살아가기 위해서 그렇습니다

　지식교육은 인간의 삶에 필요한 지식을 배우는 것입니다. 사람들은 정치, 경제, 사회, 문화 등 다양한 분야의 지식을 배워 사람들과 소통하며 살아갑니다. 우리가 살아가는 사회는 지식의 축적으로 인해 성장해 나가는 것을 보게 됩니다. 많은 사람의 다양한 의견과 관점을 통해 더 나은 방법을 찾아 이전에 없던 새로운 것들을 만

들어 냅니다. 지식의 발전은 많은 사람과 지식의 축적으로 만들어집니다.

감성교육은 인간의 삶을 따뜻하게 만들어 줍니다. 사람은 오감을 통해 정보를 받아들입니다. 사람들과 주고받는 대화 속에서 위로와 격려와 용기를 얻습니다. 긍정의 말과 진심의 말은 사람의 마음에 좋은 영향력을 끼칩니다. 부정적인 생각의 흐름을 막고, 긍정적인 생각으로 세상을 바라보게 만듭니다. 불확실한 미래를 담담히 한걸음, 한 걸음 나아갈 수 있는 용기를 북돋워 줍니다. 손을 한번 잡아주는 것, 어깨를 토닥여 주는 것, 한번 안아 주는 것 등등 작은 신체접촉이 우리의 삶을 따뜻하게 만들어 준다는 것을 기억하시기 바랍니다.

재능교육은 하나님이 우리 각 사람에게 주신 좋은 재능을 발견하는 것입니다. 사람은 모두 얼굴이 다르듯, 각각의 좋은 재능을 가지고 이 땅에 태어났습니다. 이 좋은 재능을 발견해야 합니다. 재능의 크기가 큰 사람도 있고, 작은 사람도 있습니다. 그러나 분명한 사실은 모든 사람은 좋은 재능이 한 가지 이상은 있다는 것입니다. 나를 위한 재능, 이웃을 위한 재능, 우리를 위한 재능이 있습니다. 각 사람의 재능이 잘 발현되면서 행복이라는 좋은 경험을 하게 됩니다. 재능을 통해 행복을 경험해 보세요.

윤리교육은 인간으로 살아가면서 꼭 지켜야 하는 기본을 배우는 것입니다. 인간은 더불어 함께 살아가야 하는 존재입니다. 이웃과 함께 살아가기 위해서는 서로를 위해 지켜야 하는 약속이 필요합니다. 성경에 나오는 십계명을 살펴보면 그 약속의 기본을 찾아볼 수 있습니다. "살인하지 말라, 간음하지 말라, 도적질하지 말라, 네 이웃에 대하여 거짓 증거로 제시하지 말라, 네 이웃을 한 것을 탐내지 말라" 더불어 함께 살아가는 세상에서 꼭 하지 말아야 할 것에 대해서 가르쳐 주고 있습니다. 윤리교육은 우리 모두를 위해 꼭 필요한 교육입니다.

신앙교육은 인간의 존재 이유에 대하여 알게 하는 교육입니다. "나는 누구인가?", "왜 나는 이 땅에 존재하는가?", "나는 무엇을 해야 하는가?" 등등 본질에 대한 물음에 대하여 답을 찾도록 도와주는 것이 신앙교육입니다. 성경에서 십계명에 보면 "나 외에 다른 신을 네게 있게 말지니라, 우상을 만들지 말라, 하나님의 이름을 망령되이 일컫지 말라, 안식일을 기억하여 거룩히 지키라"라는 계명이 기록되어 있습니다. 인간은 하나님이 창조하신 피조물입니다. 하나님을 경외하고, 이웃을 사랑하며 살도록 인간은 창조되었음을 성경은 가르쳐 주고 있습니다.

인간은 한평생 살아가면서 다양한 배움이 필요합니다. 첫째, 앞선 세대를 통해 배워야 합니다. 먼저 그 길을 가고 있는 사람들이기에 그들을 보며 배워야 시행착오를 줄일 수 있습니다. 둘째, 뒤에 따라오는 세대를 보며 배워야 합니다. 세대 차이의 간격을 느끼며, 그들의 관점을 수용하면서 내가 미처 생각하지 못했던 관점들을 배워야 합니다. 셋째, 성경을 통해 배워야 합니다. "태초에 하나님이 천지를 창조하시니라" 이 말씀으로 시작하는 성경을 통해서 하나님의 선하신 뜻이 무엇인지를 배워야 합니다.

완전한 사람은 없지만, 완전함을 지향하는 사람은 있습니다. 깨끗한 사람은 없지만, 깨끗함을 지향하는 사람은 있습니다. 우리가 지향하는 방향이 어디인지를 한번 살펴보시기를 바랍니다. 우리의 인생이 다하는 날까지, 세상과 아름다운 이별을 할 때까지, 하나님이 나를 부르실 그 날까지 그 방향을 향해 나아가시기를 바랍니다. 한걸음, 한걸음 인생의 발걸음을 내디디며 내 삶의 의미와 가치를 느껴보시기를 바랍니다. 의미 있고, 가치 있는 삶의 발자취를 남기며 살아가시기를 바랍니다. 하나님이 내 인생을 알아주십니다.

일을 위한 건강

사람들은 일하지 않고 쉬거나 노는 것이 좋을 것으로 생각합니다. 그런데 막상 일하지 않고, 쉬거나 놀게 되면 일하고 싶어 합니다. 왜냐하면 삶의 의미를 잃어버리기 때문입니다. 일은 내 삶의 의미가 되어주는 소중한 것입니다. 일을 통해 내 존재 자체의 의미를 발견하게 되고, 성취감을 통해 내 삶의 가치를 발견하게 됩니다.

일을 많이 해서 쉼을 갖는 것은 또 다른 이야기입니다. 너무 많은 일에 심신이 지쳐 있다면 쉼의 시간을 가져야 합니다. 재충전의 시간을 통해 지나온 시간을 돌아보며, 다시 남아 있는 인생의 시간을 어떻게 살아갈지를 깊이 생각해 보고, 계획하는 시간을 가져야 합니다. 이때 필요한 것이 독서와 만남입니다. 책을 통해 다른 사람들의 삶의 이야기를 살펴보고, 여러 사람을 만나 삶의 지혜를 얻어야 합니다. 좋은 사람을 만나는 것 자체가 복입니다.

"내가 어떤 일을 하면 좋을까요?" 이 질문에 대한 답은 스스로
찾아야 합니다. 이 질문을 곰곰이 생각해 보시기 바랍니다. 타인에
게 자신이 해야 할 일에 대한 조언을 구하는 질문입니다. 나쁜 질
문은 아닙니다. 그런데 이 질문에 오류가 있습니다. 한번 생각해
보시기 바랍니다. 먼저 타인이 "이런 일을 하십시오."하면 그렇게
할 것인지에 대해서 자신에게 질문해 보시기 바랍니다. 그리고 일
이 잘되면 좋겠지만, 안되었을 때 나에게 이 일을 하라고 한 그
사람을 원망하지 않을 수 있는지를 생각해 보시기 바랍니다.

"내가 어떤 일을 하면 좋을까요?"라는 질문을 이렇게 바꾸어 보
시기 바랍니다. "당신은 어떤 일을 할 때 행복하신가요?" 이 질문
을 통해 상대방의 생각과 삶의 경험에 관한 이야기를 경청하시기
바랍니다. 이 질문을 여러 사람에게 하시기 바랍니다. 그들이 들려
주는 이야기를 종합하시기 바랍니다. 그리고 스스로 내가 어떤 일
을 해야겠다 마음에 결심하시기 바랍니다. 질문을 바꾸어서 다른
사람들의 생각과 삶의 발자취를 통해 내 삶의 방향을 스스로 결정
해 보시기 바랍니다. 그리고 그 방향으로 나아가시기를 바랍니다.
이런 경험의 반복이 필요합니다. 이 과정에 내 인생의 성장과 성숙
이 나타납니다.

질문을 할 때 그 질문을 하는 의도를 꼭 생각하시기 바랍니다.
내가 하는 질문에서 내가 진정 원하는 것이 무엇인지를 생각하며

질문을 만드시기를 바랍니다. 질문을 듣는 처지라면 질문을 하는 사람의 의도를 파악하고, 내가 그에게 해 줄 수 있는 좋은 이야기를 들려주시기를 바랍니다. 좋은 이야기 속에는 성공의 이야기만이 아니라 실패의 이야기도 있습니다. 세상의 모든 일은 실패의 과정을 거쳐 성공에 이르는 패턴이 존재합니다. 그러므로 좋은 이야기란 실패한 이야기, 성공한 이야기가 함께 있어야 합니다.

"여러분의 삶의 목표는 무엇인가요?", "건강하고 행복하게 사는 것"이라고 답을 하신다면, 가장 보편적인 답을 하신 것입니다. 다시 한번 질문을 하겠습니다. "당신은 어떤 일을 할 때 행복을 느끼시나요?", "당신은 누구와 함께 있을 때 행복을 느끼시나요?", "당신은 누구를 행복하게 해 주고 싶으신가요?" 세 가지 질문에 대해서 답을 해 보시기 바랍니다. 일에 대해서, 소중한 사람에 대해서, 사랑하는 대상에 대해서 하는 질문입니다.

일과 사람이 소중합니다. 우리가 갖고자 하는 행복은 일과 사람을 통해서 만들어지는 좋은 결과입니다. 일을 통해 성취감을 얻고, 사람들과 함께 기쁨과 즐거움을 나누는 것이 곧 행복입니다. 그래서 행복은 멀리 있다고 하지 않습니다. 행복은 가까이 있습니다. 바로 내 옆에 있고, 내 안에 있습니다. 지금 내가 하는 일, 내 옆에 있는 사랑하는 가족과 이웃들이 내 행복의 원천입니다.

행복은 만드는 것이기도 하고, 발견하는 것이기도 합니다. 그리고 누가 나에게 주는 것이기도 합니다. 먼저 행복을 만드시기를 바랍니다. 자신에게 쉼의 시간을 주면서 행복을 만드시기를 바랍니다. 내 시간과 에너지를 사용해서 타인을 위해 작은 봉사를 하시기 바랍니다. 차 한잔을 대접하고, 함께 식사를 나누고, 잠시 일을 돕는 일을 해 보시기 바랍니다. 이 과정이 행복을 만드는 과정입니다.

두 번째는 행복을 발견하시기 바랍니다. 웃음소리가 나는 곳으로 발걸음을 옮겨보시기를 바랍니다. 그들의 얼굴 속에 담긴 행복을 보시기 바랍니다. 행복 바이러스에 전염될 것입니다. 세 번째는 내 안에 있는 행복을 이웃에게 나누어 주시기 바랍니다. 이웃이 요청하지 않아도 기쁘고 즐거운 마음으로 먼저 손을 내미는 능동적인 자세를 취하시기 바랍니다. 내가 펼친 손을 잡는 그들에게 내 시간과 물질을 나누어 주시기 바랍니다. 행복은 이웃을 살리는 생명의 손길이 되기도 합니다.

"몸짱 맞짱"이라는 낱말이 있습니다. 몸과 마음이 건강한 사람이 되자는 의미로 만들어진 낱말입니다. 여러분들 모두가 몸짱 맞짱인 사람이 되시기 바랍니다. 요즘 "찐"이라는 낱말이 유행하고 있습니다. "진짜, 참으로, 확실한"이라는 의미를 담은 유행어입니다. "찐쌤"이 되어주시기를 바랍니다. 일해서 행복하고, 행복하게 일하는 선순환의 구조를 만들어 가시기 바랍니다. 내 앞에 소중한 일과 사랑하는 사람들이 옆에 있습니다. 자! 한번 행복을 만들어 볼까요!!

브랜드의 본질

　　사람들은 브랜드 제품을 선호하고 그 제품을 구매합니다. 이유는 상품에 대한 품질 신뢰도가 있기 때문입니다. 가격이 비싸도 품질에 대한 신뢰도가 있기에 판매가 됩니다. 사람들의 신뢰를 받는 것, 이 신뢰가 브랜드를 만듭니다. "우리는 지금 어떤 브랜드를 만들고 있나요?" 이 질문은 바꾸어 표현하면 "우리는 어떤 신뢰를 받고 있나요?"

　　우리가 하는 일에 대해서 사람들에게 얼마만큼의 신뢰를 받고 있나요? 자문자답해 보아야 합니다. 우리가 하는 교육활동에 대해서 학습자는 얼마만큼의 신뢰를 두고 참여하는지 냉정하게 살펴보아야 합니다. 학습자의 신뢰를 받지 못하는 교육활동은 그 의미를 상실하게 됩니다.

좋은 브랜드를 만든다는 것은 시간과 노력과 에너지가 필요한 일입니다. 혼자의 힘으로 할 수 없고, 함께 해야 합니다. 우리가 할 수 있는 최선을 다해 교육과정과 교육활동을 수정·보완하며 나아가야 합니다. 시대의 변화를 반영해야 합니다. 아날로그에서 디지털로 바뀌는 변화에 선제적으로 대응해야 합니다. 그리고 그 변화의 장점을 적극적으로 활용해야 합니다. 그래야 신뢰를 얻을 수 있습니다. 신뢰는 우리의 교육활동을 좋은 브랜드로 만드는 핵심입니다.

학습자를 중심으로 하는 교육과정과 교육활동으로 변화해야 합니다. 과거에는 이미 정해진 방향으로 교육이 이루어졌다면, 이제는 정해진 방향보다 시대의 흐름과 학습자의 요구를 교육과정과 교육활동에 적극적으로 반영하는 모습으로 바뀌어야 합니다. 과거에는 학습자가 교육과정에 맞추었다면, 이제는 교육과정이 학습자에게 맞추어야 하는 시대가 시작되었습니다.

이런 변화를 만든 원인 중 하나가 디지털 시대의 도래입니다. 아날로그 시대에는 물리적인 시간과 공간 안에서 교육활동을 했습니다. 시간과 공간이라는 제한된 한계 속에서 최선의 교육을 한 것입니다. 이제는 시간의 제약을 벗어나고, 가상의 공간으로의 확장이 이루어졌기에 새로운 변화를 만들어낼 환경이 주어졌습니다.

디지털 시대의 변화는 필연적입니다. 그래서 이 필연적인 변화를 주도할 필요가 있습니다.

개척자의 정신을 가지고 시대를 바라보는 시선이 필요합니다. 이전에 없었던 환경입니다. 이전에 해본 적이 없는 교육활동을 만들어 내야 합니다. 해본적이 없기에 하지 않는 선택을 하기보다, 무엇이라도 해보면서 하나하나 경험을 쌓아가는 과정이 필요합니다. 교육의 본질을 직시하며, 우리가 할 수 있는 변화에 용기를 내어 도전해야 합니다. 성공과 실패를 논하기 이전에 시도해 보는 용기를 내어주시기를 바랍니다. 개척자는 이미 경험한 길을 걷는 사람이 아닙니다. 걸어보지 않은 새로운 길을 만들며 걷는 사람입니다. 용기가 필요합니다.

블렌딩이라는 낱말을 주시해 보시기 바랍니다. 두 가지 이상의 것을 섞어 새로운 것을 만들어 낸다는 의미가 있습니다. 이 새로운 것이 사람들의 신뢰를 얻고, 제품이 되어 판매된다는 것입니다. 각각 개인의 취향에 맞추어 블렌딩을 할 수 있다는 것은 세심한 기술이며, 배려입니다. 그룹의 취향이 아닌 개인의 취향을 맞출 수 있다면, 놀라운 경쟁력이 생겨날 것입니다.

브랜드를 만드는 일, 사람들에게 신뢰를 얻는 일입니다. 블렌딩을 하는 일, 한 사람 한 사람을 위한 배려입니다. 좋은 브랜드를 만들고, 그 브랜드를 섞어 새로운 것을 창조하는 일, 인생에서 한

번 도전해 볼 만한 일입니다. 함께 그 일을 하시지 않겠습니까?
함께 합시다.

지금 잘 살고 계시나요?

"지금 잘 살고 계시나요?" 이런 질문을 받으면 여러분은 어떻게 대답하시겠습니까? "네, 잘살고 있습니다.". "흠- 그냥 그렇지요!", "요즘 좀 힘듭니다." 대략 이와 같은 세 가지 대답이 나올 것입니다. 먼저 "잘살고 있다"라고 대답하는 분들은 삶이 순탄하기에 그렇게 대답하는 경우가 있고, 삶이 순탄하지 않아도 열심히 적극적으로 문제를 해결해 가면서 살아가기에 잘살고 있다고 대답을 한 것입니다.

두 번째, "그냥 그렇다"라고 대답한 분들은 딱히 삶의 즐거움도 없고, 어려움도 없는 정지된 것 같은 삶을 살고 있다는 표현입니다. 이분들의 마음을 잘 살펴보면 "즐거운 일이 있었으면 좋겠다"

라는 작은 소망이 담겨 있습니다. 이분들을 위해 몇몇 힘이 넘치는 분들이 이벤트를 만들어 드리면 좋을 것입니다. 함께 가까운 곳으로 소풍을 다녀오거나, 멀리 여행을 다녀오는 시간을 마련해 주면 좋을 것입니다.

세 번째, "요즘 힘듭니다"라고 대답하는 분들은 진짜 힘이 들어서 자신의 마음을 표현한 것입니다. 이분들에게 위로와 격려가 필요합니다. 가능하면 물질적인 도움도 필요합니다. 주변에 삶이 힘들다고 표현하는 분들이 계신다면 함께 식사의 자리를 마련하시기 바랍니다. 차 한잔을 나누며 힘든 이야기를 들어 주시기 바랍니다. 여유가 된다면 작은 봉투 하나를 조심스럽게 건네시기를 바랍니다. 어려움 중에 자신에게 선의를 베푸는 사람은 평생을 함께 갈 수 있는 좋은 이웃이 됩니다.

위의 질문을 자신에게 해 보시기 바랍니다. "나는 잘살고 있는가?" 나는 세 가지 대답 중 어떤 대답을 하는 사람인가? 자신에게 질문해 보시기 바랍니다. 첫 번째 "잘살고 있다"라고 대답한다면, 현재의 삶에 충실하게 살아가고 있는 것입니다. 두 번째 "그냥 그렇다"라는 대답이 나오면, 삶에 변화를 주시기 바랍니다. 기존에 하지 않았던 새로운 일을 하시기 바랍니다. 세 번째, "요즘 힘듭니다"라는 대답한다면, 자신에게 스스로 위로와 격려를 해 주시기 바랍니다. 그리고 부모님을 찾아가시기를 바랍니다. 좋은 친구를 찾아가시기를 바랍니다. 부모님의 사랑과 친구들의 우정 속에서 새

힘을 얻으시기를 바랍니다.

　잘 산다는 것의 기준은 무엇일까요? 의식주의 문제가 해결되었
느냐 해결되지 않았느냐의 질문을 통해 보면 경제적인 관점에서
의식주의 문제가 해결된 쪽이 더 잘 산다고 말할 수 있습니다.
하지만 현재 행복하신가요? 불행하신가요? 라는 질문을 해 보면
또 다른 결과가 나오는 것을 보게 됩니다. 의식주의 문제가 해결되
는 여부와 상관없이 가족이 함께 있고, 좋은 친구가 옆에 있다면
그 사람은 행복하다고 답을 할 것입니다. 잘살고 있다는 것의 기준
중 하나는 내 옆에 소중한 사람, 좋은 이웃이 있느냐 없느냐로 구
분될 수 있습니다. 바라기는 소중한 사람이 옆에 있기를 바랍니
다. 좋은 이웃이 옆에 있기를 바랍니다.

　성경에서 가르쳐 주는 잘산다는 기준은 무엇일까요? 예수님이
가르쳐 주신 두 가지 계명에 그 답이 담겨 있습니다. 첫째 하나님
을 사랑하라, 둘째 이웃을 사랑하라입니다. 우리의 창조주를 기억
하며, 그에게 경배하는 것이 잘 사는 첫 번째 기준입니다. 그리고
함께 살아가는 모든 이웃과 화평하며, 즐거워하며, 자신의 것을 나
누어 주는 것이 두 번째 기준입니다. 이 두 가지 기준을 가지고
살아가는 것, 성경에서 가르쳐 주는 인생을 잘 사는 기준입니다.
이 두 가지 계명을 마음에 품고 살아가시기 바랍니다. 복된 인생
을 살게 될 것입니다.

잘사는 대상을 넓혀가시기를 바랍니다. 나만 잘살면 된다는 생각에 머물러 있지 마시기 바랍니다. 이웃이 함께 잘 살기를 위해 할수 있는 이를 하시기 바랍니다. 그리고 공동체가 잘 살기 위해 나눔과 기부를 실천하시기 바랍니다. 빈부의 격차가 벌어진다는 것은 잘 사는 사회가 아닙니다. 빈부의 격차가 좁혀지고 해소되는 사회가 좋은 사회입니다. 어려운 사람이 있으면 도와주시기를 바랍니다. 낙심한 사람이 있으면 위로와 격려를 해주시기 바랍니다. 그들이 일어서야 우리가 행복할 수 있습니다.

삶의 기준이 너무 높다면 그 기준을 낮추시기를 바랍니다. 자의적인 기준이기에 낮추어도 누가 뭐라고 하지 않습니다. 자신에게 너무 높은 기준을 제시함으로 힘들어하지 마시기 바랍니다. 작은 목표를 하나하나 이루어가는 행복으로 삶의 패턴을 변경하시기 바랍니다. 나이를 먹어가면서 생각한 대로 몸이 따라주지 못하는 것을 경험하게 됩니다. 속히 기준을 낮추어야 합니다. 기준을 낮추어서 살아가는 것이 인생의 지혜입니다. 좋아하는 일, 잘하는 일, 하고 싶은 일 중에서 고르시기를 바랍니다. 이 세 가지 관점이 우리를 행복하게 만들어 줄 것입니다.

감(感)이 오면 얼른 시작하라

새로운 일을 한다는 것은 두려운 일입니다. 이전에 해본 적이 없기 때문입니다. 그런데 가만히 생각해 보면, 우리는 이전에 해본 일이 원래부터 없었습니다. 이 땅에 태어날 때부터 우리가 하는 모든 일을 새로운 일이었습니다. 두려워하기보다 호기심으로 해 본 일들이 참 많습니다. 두려운 마음을 가지고 하기보다 호기심으로 할 때 새로운 일에 대한 적응성이 더 높았던 경험이 있습니다. 새로운 일을 두려운 마음으로 하지 마시기 바랍니다. 호기심의 마음으로 접근하시기 바랍니다.

새로운 일을 처음 할 때 감이 오지 않습니다. 그런데 한번 두번 시도하면서 감이 옵니다. 그리고 어느 순간 감을 잡으면, "아! 이런 것이구나!"라고 원리를 이해하게 되면서 그 일을 자신감 있게 잘하게 됩니다. 감을 잡아야 합니다. 감을 잡기 위해 감을 잡는 시도를 해야 합니다. 새로운 일은 두려움이 앞섭니다. 그렇지만, 도전해 보시기 바랍니다. 처음에만 익숙하지 않을 뿐입니다. 한두 번하다 보면 조금씩 익숙해지면서 감을 잡는 순간이 옵니다. 그 순간까지 시도하는 용기를 내어 보시기 바랍니다.

인생을 살아오면서 수많은 경험이 우리의 머릿속에 담겨 있습니다. 그 경험을 하나하나 되짚어 보면 두 가지 모습으로 분류할 수 있습니다. 하나는 스스로 용기를 내어 새로운 일을 시도했던 모습입니다. 또 하나는 주위 사람들의 격려와 조언을 바탕으로 새로운일을 시도했던 모습입니다. 우리는 스스로 용기를 내어 일하기도하고, 주위 사람들의 격려와 조언을 통해 용기를 받아 일하기도 합니다. 이 두 가지의 모습 속에서 한가지 깨닫게 되는 인생의 교훈은 좋은 이웃이 필요하다는 것입니다.

내게 격려와 지지를 해주는 좋은 이웃이 필요합니다. 유유상종이라는 말이 있습니다. 긍정적인 의미에서 좋은 사람은 좋은 사람을알아봅니다. 그리고 그와 함께 어울립니다. 그래서 더욱 좋은 사람이 됩니다. 나 스스로 먼저 좋은 사람이 되기를 노력하시기 바랍니다. 좋은 사람이 되고자 하는 결심과 실천이 좋은 사람을 만나게되는 계기가 되고, 그 계기를 바탕으로 새로운 일을 하면서 서로에게 도움을 주고받는 좋은 이웃이 만들어집니다.

일은 혼자 하는 것보다 함께 하는 것이 즐겁습니다. 서로의 수고를 알아주고, 격려하며 일을 하시기 바랍니다. 함께 수고한 동료들이 있기에 세상 모든 사람이 알아주지 않아도, 그 일을 함께한 동료들이 그 수고를 알아주기에 실족하지 않게 됩니다. 나의 수고를 알아주는 소수의 사람, 그 사람들의 수고를 알아주는 나, 서로가 서로에게 의지가 되는 소중한 관계를 만들어 가시기 바랍니다.

우리는 빠르게 변화하는 세상 속에 놓여 있습니다. 변화에 적응해야 하는 숙제를 늘 가지고 살아갈 수밖에 없습니다. 힘들고 어려운 일이지만, 함께 헤쳐 나가시기 바랍니다. 존중과 배려, 소통과 협력이 우리에게 기본이 되었으면 좋겠습니다. 이기주의에서 이타주의로 나아가는 성숙함이 우리의 삶에 필요합니다. 공동체의 소중함을 느끼고, 그 속에서 내가 해야 할 역할을 성실하게 감당해 가는 것이 기본이 되어야 합니다. 그리고 옆에 있는 삶의 일을 함께 해 주는 따뜻함이 필요합니다. 시대의 변화는 숙명입니다. 이 변화를 잘 이겨나갈 수 있는 방법은 선택입니다. 좋은 선택을 통해 숙명의 파고를 넘어가시기를 바랍니다.

시대의 변화가 빠르게 흘러가니, 우리도 서둘러 일을 시작해야 합니다. 시대의 변화를 앞서서 나갈 수 있는 속도를 지향하며 나가시기 바랍니다. 과거에는 새로운 시도를 하는 것이 부정적인 의미로 받아들여졌습니다. "모난 돌이 정 맞는다. 가만히 있으면 중간은 간다"등등의 말이 현실이기도 하였습니다. 그런데 지금 펼쳐지는 세상은 정을 맞더라도 새로운 변화를 지속해야 합니다. 이제는 중간이 없습니다. 모 아니면 도인 세상이 펼쳐지고 있습니다. 없는 중간을 생각하며 나아가다가는 시대에 뒤처지는 결과를 만들 수밖에 없습니다. 정을 맞더라도 새로운 변화의 시도를 해야 합니다. 누구도 가본 길이 아니기에, 먼저 가봐야 합니다. 그래야 새로운 결과를 얻을 수 있습니다.

감이 오면 용기를 내시기 바랍니다. 새로운 시도에 동참하시기 바랍니다. 버스가 출발한 뒤에는 혼자 걸어서 가야 합니다. 걷는 수고보다, 버스에 타는 용기를 내시기 바랍니다. 혼자보다, 함께 가면 무엇이든지 좋은 결과를 만들어 낼 수 있습니다. 타이밍을 잡으시기를 바랍니다. 지금은 변화해야 하는 시점입니다. 변해야 합니다. 그래야 좋은 결과를 얻을 수 있습니다.

길을 잃으면 길이 찾아온다

지나온 날들을 돌아보면 청소년기에는 꿈에 관한 이야기를 통해 다양한 꿈을 마음에 품고 살았습니다. 청년 때는 꿈보다 직업에 대해 고민하며 무엇인가 준비한다고 바쁘게 살았습니다. 청장년 때는 일하고, 육아하며 정신없이 살았습니다. 장년이 되어서는 인생의 질곡을 넘나들며 삶의 자리를 지키느라 견디고 견디며 살고 있습니다. 노년이 되어서는 어떤 삶을 살아야 할까? 한번 깊은 상념에 잠겨보게 됩니다.

지나온 날들을 돌아보면서 길을 잃었던 때를 떠올려 봅니다. 잘 가던 길인데 이 길을 그대로 가는 것이 맞는지!, 다른 길을 가야 하는 것은 아닌지! 갑자기 드는 생각으로 인해 혼란스러웠던

적이 있습니다. 안개가 밀려와 길을 사라지게 만드는 것처럼, 잘 보이던 길이 갑자기 안 보이는 경험을 한 적이 있습니다. 보여야 할 길이 안 보이니 갑자기 당황하게 되고, 이 길을 그대로 가야 할지에 대한 고민이 밀려왔습니다. 그때 잠시 멈추었습니다. 길이 안 보여서... 다행히 얼마의 시간이 지나서 안개가 사라지고 다시 길이 보였습니다. 다시 길을 걸었습니다.

누구나 인생길을 걸어가면서 길을 잃을 때가 있습니다. 나로 인한 문제일 수도 있고, 환경의 문제일 수도 있습니다. 어느 쪽의 문제이든지 길을 잃었을 때는 잠시 멈추어야 합니다. 그리고 길이 보일 때까지 기다려야 합니다. 기다리면서 지나온 길을 돌아보시기를 바랍니다. 지나온 날들이 앞으로 살아갈 날에 대한 방향을 알려줄 것입니다. 지금까지 이렇게 살아왔으니, 이제부터는 이렇게 살아가야 할 것이라는 삶의 지침과 방향을 알려줄 것입니다.

인생의 나침반을 가지고 계신가요? 인생의 나침반으로 성경을 추천해 드립니다. 성경책 속에 축복에 관한 이야기가 기록되어 있습니다. 쉽게 말해서 재물을 많이 모을 수 있는 방법을 가르쳐 주고 있습니다. 성경책 속에는 지혜와 명철을 얻는 방법을 가르쳐 주고 있습니다. 하나님을 경외하는 삶을 사는 사람에게 주어지는 것이 지혜와 명철이라고 기록하고 있습니다. 성경책 속에는 죄사함과 구원의 은혜를 기록하고 있습니다. 예수그리스도를 믿음으로 받게 되는 죄사함의 은혜와 구원의 소망을 가르쳐 주고 있습니다. 성경은 우리 인생의 나침반과 같습니다. 나침반을 주머니에 넣고 다니시기를 바랍니다. 그러면 길을 잃어버려도 걱정하지 않아도 됩니다.

우리는 매일매일 인생길을 걷고 있습니다. 희로애락의 현실을 마주하면서 기쁨의 미소와 슬픔의 눈물을 흘리며 살아가고 있습니다. 이 길 위에서 우리가 꼭 해야 하는 한가지가 일이 있습니다. 옆에 있는 사람의 손을 잡아주는 일입니다. 길을 잃고 방황하는 사람의 손을 잡아주고, 흔들리는 마음을 잡아주고, 올바른 길을 가르쳐 주는 손을 잡아주는 일, 이 중요한 일을 실천해 보시기 바랍니다. 옆에 있는 사람의 손을 잡아주면서, 손에 손을 잡아주는 사람이 많아지면서, 우리 안에 연대감이 생겨나고, 우리가 나아가야 할 길에 함께 하는 사람들이 많아지면서 행복이 찾아오는 놀라운 경험을 하게 될 것입니다.

누구나 길을 잃을 수 있기에, 손을 잡아줄 수가 있는 좋은 이웃이 필요합니다. 그 좋은 이웃이 되어주시기를 바랍니다. 한사람, 한 사람의 손을 잡아주시기를 바랍니다. 내 길을 가면서 내 옆에 있는 사람들의 손을 잡아주는 일을 하시기 바랍니다 마음만 있으면 할 수 있는 일입니다. 손을 잡아주시기를 바랍니다. 등을 토닥여 주시기 바랍니다. 이 작은 행동이 사람의 마음을 따뜻하게 만들고, 잃어버린 길을 찾게 만들어 줍니다. 오늘 누군가의 손을 잡아주시기 바랍니다. 한 사람의 손, 그 손을 잡아주는 소중한 하루가 되시기 바랍니다.

2부

나 자신에 대해 깊이 생각하기

자기답게 사는 법

일곱 색깔 무지개가 아름다운 이유는 무엇일까요? 모든 색을 볼 수 있고, 색의 대비효과가 크기 때문입니다. 어두운색은 밝은색을 받쳐주고, 밝은색은 어두운색과 대비되어 서로의 특성이 더 잘 표현되도록 해 주기 때문입니다. 밝은색과 어두운색은 서로 다르지만, 서로를 위해 존재한다는 것을 깨닫는 순간, 인생의 지혜를 하나 발견하게 됩니다. 이 세상의 모든 것은 소중하다는 것입니다.

나는 이 세상에서 하나밖에 없는 존재입니다. 그래서 소중한 존재입니다. 그래서 나답게 살아야 합니다. "나답게 산다"라는 말을 한번 곱씹어 보시기 바랍니다. 나답게 산다는 것의 의미는 무엇일까? 나는 나를 잘 알고 있는 듯 하나, 나를 모르고 살아가는 것이 너무 많습니다. 시간의 흐름 속에서 나를 알고 발견해 나가는 것이 인생입니다. 한번 지금까지 나의 모습을 다양한 낱말로 정리해 보시기 바랍니다. "나는 000 사람이다", "착한, 정직한, 도전하는, 따뜻한 등등 " 사이에 들어갈 표현을 100개 정도 기록하면서 나에 대해서 세밀히 파악해 보시기 바랍니다. 내 안에 다양한 나의 모습을 보고 놀랄 것입니다.

나는 소중한 존재이면서 가능성의 존재입니다. 늘 성장하고 성숙해지는 자신을 보며 삶의 행복을 느껴보시기를 바랍니다. 환경의 어려움이 우리 어깨를 짓누르더라도 그 무게를 견디며 한걸음, 한 걸음 발걸음을 내딛는 우직한 자기 모습을 보며, 칭찬하고 격려해 주시기 바랍니다. 내가 나를 사랑한다는 말의 의미를 한번 실천해 보시기 바랍니다. 자신을 스스로 격려할 줄 알아야, 이웃에게 따뜻한 말 한마디 할 수 있는 용기가 만들어집니다. 두 팔로 자신을 감싸며 토닥여 주시기 바랍니다. 정신이 육체를 향하여 잘했다 칭찬해 주시기 바랍니다. 작은 행복이 찾아올 것입니다.

나다움은 본질을 향한 발걸음입니다. 성경은 우리에게 한가지 진리를 가르쳐 주고 있습니다. "하나님은 사랑이시라" 하나님의 본질은 사랑이라고 가르쳐 주고 있습니다. 성경 속에 하나님의 사랑이 담겨 있습니다. 그렇다면 내 안에는 무엇이 담겨있을까요? 내가 담고 있는 것, 그것이 내 본질입니다. 기본으로 담겨 있는 것이 있습니다. 사랑입니다. 부모님에게 받은 것입니다. 이것은 하나님으로부터 온 것입니다. 한 가지 분명한 것은 나다움을 찾는 모든 이들 그 고민 속에서 찾는 본질은 사랑이라는 것입니다. 사랑을 발견하시고, 사랑으로부터 본질의 의미를 찾아가시기를 바랍니다.

성격의 사전적 의미는 개인을 특징짓는 지속적이며 일관된 행동 양식이라고 정의하고 있습니다. 두 가지 낱말에 초점을 맞추어 보시기 바랍니다. "지속적, 일관된" 이 두 가지 낱말이 성격이 무엇인지에 대해서 잘 설명해 주고 있습니다. 내게 주어진 인생의 시간을 살아오면서 지속해서 변함없이 표현하였던 내 모습이 내 성격을 형성하게 됩니다. 주위 환경과 상호작용을 하면서 표현하였던 나의 반응 중 지속적이고 일관된 모습이 내 성격으로 형성됩니다. 성격은 가장 먼저 꺼내 쓰도록 지정된 방어기제, 생각의 패턴, 반응법, 감정 반응의 모음입니다. 인생의 초반, 사춘기를 지나가면서 만들어지는 성격을 잘 만드시기를 바랍니다. 이웃과 더불어 함께 살아가는 좋은 성격을 만드시기를 바랍니다.

마음에 품은 꿈을 한번 살펴보시기를 바랍니다. 타인과 비교하려고 보라는 것이 아닙니다. "내가 품은 소중한 꿈을 어떻게 하면 이룰 수 있을까?" 스스로 고민하기 위해서 살펴보라는 것입니다. 꿈, 지금은 아니지만, 먼 미래에 꼭 이루고 싶은 목표입니다. 그 목표를 이루기 위해 오늘 하루 내가 해야 할 일을 성실히 해야 합니다. 꿈을 향한 한 걸음이 오늘 내가 해야 할 일임을 인식하면서 행복을 느껴보시기를 바랍니다. 행복은 내 가까이에 있습니다.

일곱 색깔 무지개는 모든 색을 보여줍니다. 그래서 아름답습니다. 다양한 성격을 가진 사람들이 모였습니다. 이 모인 사람들을 가리켜 공동체라고 합니다. 공동체를 통해 인간의 아름다움을 보여주어야 합니다. 그 아름다움의 본질은 사랑입니다. 사랑을 나누어주며 함께 더불어 행복을 추구해 나가는 공동체가 아름답습니다. 공동체의 한 사람으로서 사랑을 나누어주는 이름다운 사람이 되시기 바랍니다.

혼자 걷는 사람들

우리 몸을 건강하게 만드는 가장 기본적인 운동은 걷기입니다. 일정한 거리를 걸으면 다리의 근육이 튼튼해지고, 온몸의 혈액순환이 잘 되어 건강을 유지할 수 있습니다. 길을 걸으며 음악을 들으면 기분이 좋아집니다. 주위 자연환경을 보며 계절의 아름다운 변화를 느끼는 행복한 경험을 하게 됩니다. 혼자 걷는 시간은 내 마음을 평온하게 만드는 소중한 시간입니다. 오늘 그 소중한 시간을 만들어 보시기 바랍니다.

혼자 걸었던 길을 함께 걸어 보시기 바랍니다. 소중한 사람, 친한 사람과 함께 길을 걸으면서 이런저런 인생 이야기를 나누어 보시기 바랍니다. 이야기를 나누다 좀 더 진지한 이야기로 빠져들 때가 있습니다. 그러면 잠시 벤치에 앉아서 이야기를 나누시기를 바랍니다. 그리고 다시 걸으며 이야기를 마무리하시기 바랍니다. 길을 걷는 모습이나 함께 나눈 진지한 이야기가 유사함을 보게 됩니다. 인생길을 걸어가면서 벤치에 잠시 앉는 것처럼, 가끔은 쉼의 시간을 가져야 하는 이유를 발견하게 됩니다.

길을 걸으며 내 뺨을 스쳐 지나가는 바람을 느껴 보시기 바랍니다. 내 머리카락을 흔들며 시원함이라는 작은 행복을 선사하는 바람을 느껴 보시기 바랍니다. 마음이 답답할 때 시원한 바람을 맞아 보시기 바랍니다. 답답한 마음이 사라지고 평온함을 되찾는 행복한 경험을 하게 될 것입니다. 바람은 눈에 보이지 않지만 늘 내 곁에 있습니다. 내 곁에 있는 바람, 그 존재를 경험해 보시기 바랍니다. 내 인생의 숨은 조력자입니다.

인생의 문제가 다가온다면, 그 문제를 가지고 걸으시기를 바랍니다. "어떻게 하면 좋을까?", "어떤 방법이 있을까?", "이 문제의 본질은 무엇일까?" 등등 마음속으로 다양한 질문을 던지며 답을 찾아보시기를 바랍니다. 생각하며 길을 걷다 보면 문득 스치듯 지나가는 생각의 조각을 느끼게 됩니다. 그 생각의 조각을 꼭 잡으시기를 바랍니다. 엉킨 실타래의 실을 푸는 시작점이 됩니다. 한 번에 해결되면 좋겠지만, 그렇지 않아도 문제 해결의 시작점을 찾았기에 반은 해결된 것으로 생각하며 하나하나 풀어가시기를 바랍니다.

걷기를 통해 얻게 되는 인생의 교훈이 있습니다. "천릿길도 한

걸음부터"라는 옛 어른들의 말씀을 떠올려 보시기 바랍니다. 목표를 정하고, 그 목표를 향한 한꺼번에 갈 수는 없지만, 한걸음, 한걸음 가다 보면 언젠가 목표에 도달하게 된다는 인생의 교훈을 얻게됩니다. 지금 내가 걷는 이 한걸음이 나의 건강에 유익함을 주고, 내가 목표한 지점에 이르게 하고, 내가 꿈꾸는 미래로 나를 데려다준다는 사실을 기억하시기 바랍니다.

차 한잔을 손에 들고, 산책하러 나가보시기를 바랍니다. 잠시 벤치에 앉아 보시기 바랍니다. 바람에 흔들리는 나뭇잎을 보며 인생에 대한 본질적인 질문을 던져 보시기 바랍니다. "인생이란 무엇일까?", "지금 나는 잘살고 있는 것일까?" 우울감에 빠지라는 이야기가 아닙니다. 내 인생을 점검해 보기 위한 질문을 하는 것입니다. 생각하며 산다는 것이 쉬운 일이 아닙니다. 그냥, 아무 생각 없이 사는 것이 편할 수 있습니다. 하지만, 한 번뿐인 소중한 인생이기에 생각하며 사는 것이 더 좋은 방법입니다.

한 가지 생각할 수 있는 과제를 드립니다. "지금보다 더 좋은 세상을 만드는 일에 나는 어떤 역할을 하면 좋을까?" 이 질문에 답을 해 보시기 바랍니다. 오늘 하루 동안 생각해 보시기 바랍니다. 가정과 직장에서 더 좋은 분위기와 환경을 만들기 위해 내가 할 수 있고, 내가 해야할 일이 무엇이 있는지 찾아보시기를 바랍니다. 성경 말씀에 보면, "구하라, 찾으라, 문을 두드리라"라는 내용을 담은 말씀이 있습니다. 능동적으로 움직여서 질문의 답을 찾아보시기

를 바랍니다. 어떤 인생을 살아야 할지에 대한 좋은 방향을 찾게
될 것입니다.

자신과의 대화

우리 안에는 두 가지 자아의 모습이 있습니다. 하나는 긍정적인 자아입니다. 어떤 일을 만나더라도 밝은 면을 보려고 합니다. 희망과 소망을 보며 앞으로 나아가고자 하는 자아입니다. 또 하나는 부정적인 자아입니다. 매사에 어두운 면을 보려고 합니다. 걱정과 두려움으로 인해 움츠러드는 자아입니다.

나와 긍정의 자아와 부정의 자아, 이 셋이 대화한다고 생각해 보시기 바랍니다. 나의 위치는 긍정의 자아와 부정의 자아 중간에 서 있게 됩니다. 양쪽에서 번갈아 보면서 대화를 나눕니다. 긍정적인 이야기와 부정적인 이야기 속에서 한가지 선택과 결정은 내려야 합니다. 어떤 선택을 내리는 것이 좋을까요? 바라기는 어떤 일이든 긍정의 자아 목소리에 귀를 기울이시기 바랍니다. 그러면 손해 보는 일은 발생하지 않을 것입니다.

우리의 인생길은 오르락 내리락이 반복되는 길입니다. 일희일비하지 않으며, 성실하게 내게 주어진 소중한 인생을 살아야 합니다. 쉽지는 않으나, 할 수 없는 일도 아닙니다. 초연히 자신에게 주어진 인생을 성실히 살았던 믿음이 선진들이 있음을 알기 때문입니다. 희망을 바라보며, 소망을 마음에 품고 살아가시기를 바랍니다. 인생을 잘 살아가는 비결입니다.

현재 내 삶의 주변이 녹록지 않을지라도, 나의 선택은 늘 희망을 지향하며 살아야 합니다. 시간의 흐름 속에 언젠가 그 희망이 가까워지는 경험을 하게 될 것입니다. 인생을 먼저 살았던 선진들이 남겨준 지혜의 말씀에 귀를 기울이시기 바랍니다. 고진감래(苦盡甘來)라는 사자성어입니다. 괴로움의 시간이 다 지나가고, 이제 즐겁고 감사한 일들이 도래할 것이라는 뜻을 마음에 담으시기를 바랍니다.

내 주변에 있는 사람들에게 긍정의 말과 행동을 하는 사람이 되어주시기를 바랍니다. 부정의 말은 뒷담화로 적격이지만, 내 인생에 도움이 되지는 않습니다. 긍정의 말은 나비효과를 가져옵니다. 한마디 말로 인해 시작되는 잔잔한 파장이 큰일을 만들게 됩니다. 이 큰일이 긍정적이라면 어떨까요? 긍정을 지향하며 살아가시기를 바랍니다. 내 인생에 손해를 보는 일이 없을 것입니다.

내 주변에 있는 사람들의 마음을 얻어야 합니다. 마음을 얻는다는 것은 내가 먼저 좋은 이웃이 되어준다는 말입니다. 사랑은 받기보다 먼저 주는 것이라고 합니다. 내가 먼저 따뜻한 말 한마디를 하고, 도움의 손길을 펼치는 것입니다. 내가 먼저 상대방을 알아주고, 존중과 배려를 실천하는 것입니다.

좋은 이웃이 되는 것이 사람의 마음을 얻는 것입니다. 사람의 마음을 얻으면 그다음은 말하지 않아도 생각하는 그 이상의 좋은 결과가 주어질 것입니다. 이 좋은 결과는 우리 모두를 기쁘게 만들어 줄 것입니다. 자! 지금부터 시작해 볼까요?

자기 느낌 포착

모든 사람은 생각의 구조가 있습니다. 외부에서 어떤 정보가 들어가면 그 정보를 처리하는 과정이 진행됩니다. 사람마다 이 과정이 다릅니다. 이에 따라 서로 다른 이해와 견해를 갖게 됩니다. 이것은 틀린 것이 아니라, 보는 관점의 차이로 인해 서로 다르게 볼뿐입니다. 입장과 견해는 서로가 서 있는 위치를 알려주는 것일 뿐입니다. 대화는 이런 다른 이해와 견해를 조율하는 과정입니다.

대화를 잘한다는 것은 두 가지입니다. 나의 견해를 잘 전달하거나, 타인의 견해를 잘 이해하는 것입니다. 앞선 세대에게 지혜를 구해보면, 주장보다 경청이 답이라고 말씀해 주십니다. 경청은 상대방의 입장과 견해를 잘 듣고 파악하는 것입니다. 경청의 과정에서 원인과 이유를 발견하고, 해결책을 찾아내는 것입니다. 우리는 이것을 잘 알고 있음에도 경청보다 주장하는 실수를 저지를 때가 있습니다. 아직 더 성숙해야 한다는 의미로 받아들이며 자신을 스스로 돌아봅니다.

생각의 관점은 두 가지로 구분합니다. 긍정과 부정입니다. 이 두 가지 관점 모두 우리의 삶에 필요한 관점입니다. 긍정은 좋은 쪽을 바라보는 것입니다. 부정은 안 좋은 쪽을 바라보는 것입니다. 일반적으로 긍정의 관점을 취하는 것이 좋습니다. 특별한 경우 부정의 관점을 취해야 할 때가 있습니다. 한 예로 권력을 가진 사람이 있다고 생각해 보시기 바랍니다. 그가 권력을 올바르게 사용할 때는 긍정의 관점에서 바라봐 주며 박수를 보내는 것이 좋습니다. 만약 그가 권력을 남용한다면 부정의 관점을 통해 비판해 주어야 합니다.

우리의 삶은 성장과 후퇴를 반복합니다. "이 보 전진을 위한 일 보 후퇴"라는 말을 들어보셨을 것입니다. 인생을 살다 보면 어쩔 수 없이 후퇴하는 경우가 있습니다. 우리는 이 후퇴의 상황을 통해 겸손을 배우게 됩니다. 그리고 심기일전이라는 낱말의 의미도 배우게 됩니다. 현재는 할 수 없어 후퇴하지만, 다음을 기약하며 뒤로 물러섭니다. 그 순간 눈물이 나고, 고통이 물밀듯 다가옵니다. 이 아픔의 시간을 통과하며 다시 준비합니다. 다시 도전하여 한 걸음 한 걸음 앞으로 나아갑니다. 이것이 인생입니다. 후퇴의 아픔을 알기에 용기를 내어 앞으로 나아가는 것입니다.

성숙함으로 가는 길은 멀고도 험합니다. 하지만, 우리가 가야 할 길입니다. 어른이 된다는 것은 쌓여가는 나이의 숫자만큼 마음이 깊어지고, 넓어지는 것입니다. 젊음의 열정을 지나, 성숙함의 길로 들어서는 것입니다. 누구나 철부지 같은 어린 시절이 있었습니다. 그리고 누구나 시간의 흐름 속에 어른이 되어갑니다. 우리는 성숙한 어른이 되어가야 합니다. 사람을 마음에 품을 수 있는 넓은 마음을 가진 사람이 되어야 합니다.

좋은 질문 한 가지를 기억하시기 바랍니다. "왜 그럴까?" 이유를 질문을 해 보시기 바랍니다. "왜 그럴까?", "왜 그랬을까?" 자아비판을 하라는 것이 아닙니다. 그렇게 한 이유를 알아보라는 것입니다. 이유와 원인이 무엇인지를 알게 되면 해결책을 찾을 수 있기 때문입니다. 비판을 위해서가 아닌, 성숙을 위해서 "왜?"라는 질문을 사용하시기 바랍니다. 그러면 조금씩 성숙해지는 자신을 발견하게 될 것입니다.

원인을 알면 결과를 유추할 수 있습니다. 평상시 인과관계를 잘 정리해 놓으시기를 바랍니다. 그러면 어떤 문제가 발생하였을 때 좋은 해결 방법을 내어놓을 수 있습니다. 좋은 해결 방법을 다른 표현으로 지혜라고 합니다. 노인의 지혜는 인생의 경험을 통해 나오는 것입니다. 인생을 살아가면서 겪는 여러 가지 일들 속에서 자신을 돌아보는 성찰의 모습을 가져 보시기 바랍니다.

자아 성찰과 자아비판을 혼동하지 마시기 바랍니다. 자아 성찰은 자존감을 높여주지만, 자아비판은 자신의 마음에 상처를 남깁니다. 우리가 해야 할 일은 자아 성찰입니다. 원인과 이유를 찾은 후 다음에 똑같은 상황을 준다면 더 좋은 선택을 할 것이라는 다짐을 하는 것입니다. 인생은 실수와 잘못을 줄여가는 것입니다. 타인에 모범이 되는 모습으로 보여주는 것입니다. 서로에게 좋은 영향을 줌으로 좋은 공동체를 만드는 것입니다. 자아 성찰을 통해 인생의 지혜를 쌓아가시기를 바랍니다. 그러면 좋은 어른이 됩니다. 좋은 어른이 되어주시기를 바랍니다.

내가 사는 공간을 가꾸는 일

"자기만족"이라는 말이 있습니다. 타인의 평가에 흔들리지 않으며, 자신의 만족감이 훼손되지 않게 그 입장을 견지해 가는 모습을 가리킵니다. 자기만족을 위해서는 기준이 필요합니다. 이 정도면 나는 만족하다고 하는 기준이 있어야 자기만족을 지켜갈 수 있습니다. 그 기준을 세우는 주체는 나 자신입니다. 나에게 무엇이 필요한지, 나에게 필요한 양은 얼마인지, 그 기준을 명확하게 세워 더 이상의 욕심을 부리지 않는 것입니다.

"자기만족"이 있어야 인생을 행복하게 살아갈 수 있습니다. 우리 안에 있는 욕심은 끝이 없습니다. 채우고 채워도 다 채울 수 없는 것이 욕심입니다. 그중에 소유욕은 그 끝이 없습니다. 그래서 우리에게 절제가 필요하고, 자기만족이라는 기준이 필요합니다. 욕심을 내기보다, 이 정도면 된다고 하는 기준을 세우며 살아가는 것이 필요합니다. 내게 필요한 그것만큼만 소유하고, 그 기준을 지켜가는 것이 자기만족입니다.

"자기만족"을 통해 세워진 삶의 기준들을 이웃과 나누며 사시기 바랍니다. 사람은 타인을 통해 배웁니다. 특히 앞선 세대를 통해서 배우고, 그다음 자신의 이웃을 통해 배웁니다. 부모님 세대를 통해 근검절약을 배우고, 이웃을 통해 절제의 미덕을 배우시기 바랍니다. 기준은 스스로 세우는 것이지만, 먼저 타인을 통해 배워서 세우는 것입니다. 좋은 삶의 기준을 배우시기 바랍니다. 그 기준이 나를 좋은 사람으로 만들어 줄 것입니다.

"자기만족"은 자기만의 철학을 만들어 가는 과정입니다. 철학은 인생의 의미를 생각하게 하고, 그 의미를 잘 정리하고, 실천하게 만들어 줍니다. 자신만의 철학을 가지고 살아간다는 것은 참 멋진 일입니다. 자신의 인생철학을 가지고 일관된 모습으로 살아간다면 타인에게 존경받는 인생이 될 것입니다. 변함이 없다는 것은 성실함으로 표현될 수 있습니다. 성실함은 사람들에게 인정받을 수 있는 좋은 성품입니다. 이런 성품을 가지고 살아간다면 그는 필시 존경받는 사람이 될 것입니다.

"자기만족"이라는 감정에서 진정 내가 원하는 것이 무엇인지에 대해서 깊이 생각해 보시기 바랍니다. 하나님이 내게 허락하신 유한한 인생의 시간 속에서 진정 내가 원하는 것이 무엇인지? 곰곰이 생각하시기 바랍니다. 그 질문을 통해서 찾게 된 것들을 하나하나 자신의 옆에 두시기를 바랍니다. 그것이 물건일 수도 있고, 그것이 내가 해야 할 일일 수도 있고, 그것이 재능일 수도 있고, 그것이 사명일 수도 있습니다. 내가 진정 원하는 것, 그것을 찾으며 살아가시기를 바랍니다.

"자기만족"에 대한 이야기 끝에 꼭 들어가야 할 생각 키워드가 있습니다. "생각의 지평"입니다. 우물 안과 우물에 대해 생각을 해 보시기 바랍니다. 나의 만족, 너의 만족, 우리 공동체의 만족에 관한 생각의 지평을 넓혀 가시기 바랍니다. 나의 만족을 통해 얻은 기쁨과 행복을 이웃과 나누시기를 바랍니다. 그 나눔을 통해 공동체는 행복하게 변모할 것입니다. 나 혼자의 행복은 그냥 하나이지만, 공동체와 함께 할 때는 그 행복은 모두의 행복이 됩니다. 한번 그런 멋진 모습을 만들어 보시지 않겠습니까? 생각의 지평을 넓이시기 바랍니다.

"내가 진정 원하는 것이 무엇일까?", "내 가족이 진정 원하는 것이 무엇일까?", "내가 속한 공동체가 진정 원하는 것은 무엇일까?" 좋은 질문은 우리의 삶을 의미 있고 가치 있게 만들어 줍니다. 이 질문의 답을 찾아가시기를 바랍니다. 후회 없는 인생을 만들어 줄 것입니다.

말투가 중요한 이유

우리가 살아가면서 꼭 사용해야 할 두 가지 말이 있습니다. 바른 말과 고운 말입니다. 바른말은 말 그대로 정직하고, 거짓이 없는 말을 가리킵니다. 고운 말은 상대방이 듣기에 거스름이 없는 말, 그 마음에 기쁨과 즐거움을 주는 말을 의미합니다. 칭찬과 격려의 말은 바른말이며 고운 말입니다. 사람들은 이렇게 바르고, 고운 말을 통해 성장하고 성숙해 갑니다. 하루하루를 살아가면서 바른 말과 고운 말을 입에 달고 사시기 바랍니다.

사람마다 얼굴 생김새가 다르듯, 말하는 말투도 다 다릅니다. 말이 급한 사람이 있고, 생각하며 천천히 하는 사람이 있습니다. 말이 거친 사람이 있고, 부드러운 사람이 있습니다. 말에 가시가 있는 사람이 있고, 편안한 사람이 있습니다. 이렇게 사람들의 말본새는 다양합니다. 어느 것이 좋다 나쁘다 할 수는 없습니다. 하지만, 꼭 고려해야 하는 점은 상대방의 마음을 한 번쯤은 살피며 이야기해야 합니다. 내가 하고 싶은 대로 말하는 것보다 상대방의 마음을 헤아리며 말을 하는 사람이 되시기 바랍니다.

　말투에 따라 나의 이미지가 만들어집니다. 거친 말을 많이 하면, 사람들은 나를 거친 사람으로 인식합니다. 부드러운 말을 많이 하면, 사람들은 나를 부드러운 사람으로 인식합니다. 지나온 삶의 발자취를 돌아보면 내 말투로 인해 만들어진 나의 이미지를 보게 됩니다. 하루아침에 만들어진 것이 아닙니다. 오랜 세월 동안 굳어진 이미지입니다. 좋은 이미지라면 그대로 더 좋은 이미지를 만들어 가시기 바랍니다. 만약 좋은 이미지가 아니라면 지금, 이 순간부터 말투를 바꾸시기를 바랍니다. 오늘부터 하루를 시작해서 천일을 넘겨 보시기 바랍니다. 그러면 새로운 나의 이미지가 만들어져 있을 것입니다. 새로운 나의 이미지를 만들어 가시기 바랍니다.

　말투에 따라 이웃과 관계의 질이 달라집니다. 그냥 안부를 묻는 정도의 관계로 지내느냐 아니면 속 깊은 말을 할 수 있는 가까운 관계로 지내느냐는 나의 말투에 달려 있습니다. 내 말에 진심이 담겨 있으면, 상대방도 나를 진심으로 대합니다. 진심이 오가면서 서로에 대한 이해도와 신뢰도가 높아집니다. 이렇게 만들어지는 좋은 관계는 삶을 행복하게 만듭니다. 행복한 인생을 살아가기를 원하신다면 진심이 담긴 말씀을 하시기 바랍니다. 나도 행복하고, 이웃도 행복하게 만듭니다.

말투에 따라 대접이 달라집니다. "가는 말이 고우면 오는 말이 곱다"라는 속담처럼 내가 먼저 고운 말을 해야 합니다. 내가 먼저 존중과 배려가 담긴 말을 하면, 상대방도 나를 존중하는 말투로 대해 줍니다. 나이의 많고 적음에 관계없이 상대방을 존중해 주시기 바랍니다. 그러면 그에 합당한 존중을 받게 됩니다. 아주 간단한 삶의 지혜입니다. 그런데 이 지혜를 알지 못하고 사는 사람이 우리 주위에 많이 있습니다. 알려주시기를 바랍니다. 고운 말을 하라고.

말투에 따라 얻는 것과 잃는 것이 결정됩니다. "말 한마디에 천 냥 빚을 갚는다"라는 속담이 있습니다. 이 속담에 나오는 "말 한마디"는 어떤 것을 의미하는 것일까요? 우선 진심이 담긴 말입니다. 정직한 말입니다. 상대방의 마음을 다독이는 위로와 격려의 말입니다. 말 한마디의 놀라운 힘을 기억하시기 바랍니다. 이웃의 따뜻한 말 한마디가 내 인생에 큰 버팀목이 되어준다는 사실을 잊지 마시기 바랍니다.

사람의 마음을 얻으시기를 바랍니다. 내가 하고 싶은 말을 하는 것보다, 상대방이 듣고 싶어 하는 말을 하시기 바랍니다. 비위를 맞춘다는 관점에서는 부정적이지만, 상대방을 포용한다는 관점에서는 꼭 필요한 일입니다. 칭찬과 격려는 사람을 성장시킵니다. 그러하기에 상대방이 듣기에 좋은 말을 해 주어야 합니다. 질책과 비판을 자주 하면 인간관계의 손상이 옵니다. 그러면 거리감이 생기고, 이해와 협조를 구하기 어렵게 됩니다. 칭찬과 격려는 거리감을 줄이고, 이해와 협조를 통해 함께 일하는 행복한 순간을 만들어 줍니다. 선택하시기 바랍니다. 내가 하고 싶은 말을 하며 살지, 아니면 상대방이 듣고 싶어 하는 말을 해주며 살지... 고수의 관점에서 선택해 주시기 바랍니다. 어른은 아랫사람의 마음을 헤아리며 말을 합니다.

선선한 거리

한 직장에 오래 다니다 보면 어느 순간 "이 자리를 떠나고 싶다"라는 생각이 불현듯 들 때가 있습니다. 아마 이런 생각이 드는 이유는 지금 하는 일에 대한 스트레스나 인간관계에서 힘든 일들이 발생했을 때일 것입니다. 추가적으로는 자신의 인생을 돌아보며 새로운 일을 하고 싶은 욕구가 생겨나서이기도 합니다. 떠남에 관한 생각이 스쳐 지나갈 때 잠시 주위를 둘러보시기를 바랍니다. 나보다 앞선 분들에게 조언을 구해 보시기 바랍니다. 인간관계의 원만함과 새로운 일에 대한 갈망을 잘 조절하며 생각과 마음을 잘 다스리시기를 바랍니다.

우리가 하는 일에는 공적인 일과 사적인 일이 있습니다. 공적인 일은 자신에게 맡겨진 일을 가리킵니다. 사적인 일은 공적인 일과는 상관이 없는 개인의 시간에 이루어지는 일입니다. 공과 사를 완벽하게 구분하며 산다는 것은 쉽지 않은 일입니다. 하지만, 공적인 일에 대한 구분을 명확히 해 주고, 사적인 일에 대하여 침해당하지 않도록 기준을 설정해 주는 일은 꼭 필요합니다. 중첩되는 부분은 서로에 대한 신뢰를 바탕으로 조율해 나가면 됩니다.

공적인 일을 진행하면서 동료의 업무 협력은 필수입니다. 모든 일에는 혼자 할 수 있는 일과 함께해야 하는 일이 존재합니다. 혼자 할 수 있는 일은 내가 맡은 일이기에 성실히 그 일을 감당해 나가면 됩니다. 그리고 함께해야 하는 일은 조정자의 역할을 하는 사람과 소통하며 내가 해야 할 역할을 잘 이해하고 그 일을 하면 됩니다. 일의 경중을 따지며 상호비교하기보다, 내가 그 일을 할 수 있는 능력이 있는지를 보고 소통을 하시기 바랍니다. 여러 가지 일은 함께 진행하면서 나의 업무능력이 향상됩니다.

사적인 일에 대한 존중은 꼭 해야 합니다. 한 개인의 양해와 허락 없이 자기 마음대로 상대방의 사적인 영역을 침해하는 것은 금해야 합니다. 우리가 살아가는 세상에는 상식이 있습니다. 이 상식의 한 부분이 개인의 사생활 보호입니다. 한 개인이 자기 삶에 대한 자신의 선택과 결정에 대해서 우리는 존중과 배려로 대해야 합니다. 이 한 개인에 나도 포함되기에 더욱 그리해야 합니다.

종종 인간관계를 거리로 표현합니다. 나와 가까이 있는 사람, 나와 조금 떨어져 있는 사람, 나와 일정한 간격을 두고 있는 사람, 나와 멀리 떨어져 있는 사람 등으로 표현됩니다. 인간관계의 거리감은 우리가 모두 의식적으로든, 무의식적으로든 가지고 살아가고 있습니다. 나를 기준으로 한번 생각해 보시기 바랍니다. 나와 가까운 거리에 있는 사람과 먼 거리에 있는 사람, 그 이유는 무엇일까요? 그 이유를 나에게서 찾을 수 있고, 또 남에게서도 찾을 수 있습니다. 나이 든, 남이든 기준이 되는 것은 말과 행동입니다.

　내가 어떤 말과 행동으로 사람들을 대하느냐에 따라 상대방과 인간관계의 거리감이 만들어집니다. 또한 상대방이 나에게 어떤 말과 행동으로 대하느냐에 따라 그와 인간관계의 거리감이 만들어집니다. 잘 생각해 보면, 상대방의 말과 행동은 내가 통제하거나 조절할 수 없습니다. 그래서 그의 말과 행동에 대한 나의 선택과 결정으로 거리감을 정하면 됩니다. 우리가 초점을 맞추어야 하는 것은 나의 말과 행동에 의한 결정되는 인간관계의 거리감입니다. 이것은 조절할 수 있고, 변화시킬 수 있습니다. 나의 말과 행동을 변화시킴으로 인간관계의 거리감을 좁힐 수 있습니다. 할 수 있습니다. 하시기 바랍니다. 해야 합니다. 권면합니다.

　처음 선 자리에서 버티고 서 있는 한 그루의 나무, 이 한 그루의 나무를 생각해 보시기 바랍니다. 언제나, 그 자리에 서 있는 나무, 내 옆에 그런 사람이 있습니다. 학생들을 사랑하며, 그들을 위해 자신의 에너지를 아끼지 않으며, 맡은 일에 성실함으로 최선을 다하는 그런 이름다운 사람이 있습니다. 한 그루, 한 그루의 나무가 모여 숲을 만듭니다. 아름다운 한 사람, 한사람이 모여서 좋은 학교를 만듭니다. 아름다운 한 사람이 되어 주시기 바랍니다.

너무 가깝지도, 너무 멀지도 않게

자기 주관은 자신이 가지고 있는 정리된 생각입니다. 자기 주관이 필요한 이유는 다른 사람과 자기 생각을 비교하고 조절하기 위해서입니다. 내가 가지고 있는 기준이 있어야 다른 사람과의 거리나 차이를 조절할 수 있기 때문입니다. 이 정리된 생각이 있어야 이것을 바탕으로 하나하나 일의 순서를 정해서 진행할 수 있습니다.

자기 주관을 갖는다는 것은 고집을 의미하지 않습니다. 관련 지식이 풍부하여 올바른 기준을 갖고 있다고 표현하는 것이 좋을 것입니다. 자기 주관이 있는 사람은 자신이 가지고 있는 기준을 바탕으로 관련된 사항에 대하여 평가하고 판단합니다. 제삼자의 측면에서 보면, 하나의 기준을 가지고 명확하게 이야기하는 모습을 보며 이해를 하게 되고, 수용할지 말지를 결정하게 됩니다.

자기 주관이 뚜렷한 사람을 만나서 이야기할 때는 주제에 대해서 그 사람의 의견이 무엇인지를 질문해야 합니다. 이 질문을 통해 그 사람의 생각을 파악하고 난 후 그 생각을 보완해줄 좋은 아이디어나 의견을 제시해 주어야 합니다. 대화록에서 바로 적용하지 않아도, 대화 이후에 제 생각에 도움이 되는 아이디어나 제안을 수용할 가능성이 큽니다.

뚜렷한 자기 주관을 가질 때 제한요건이 있습니다. 그것은 나만을 위한 기준이어서는 안 된다는 것입니다. 나와 너와 우리라는 인간관계를 바탕으로 자신의 주관을 만들어야 합니다. 인간관계의 기본을 바탕으로 일에 대한 자신의 처지를 정리해야 합니다. 그래야 올바른 자기 주관을 가지게 되고, 이에 따라 주위 사람들에게 선한 영향을 주게 됩니다.

자기 주관이 있다는 것은 예측 가능한 사람이 된다는 것입니다. 예측 가능한 사람이 된다는 것은 인간관계를 맺기 어렵지 않은 사람이 된다는 것입니다. 편안하게 만나서 이야기를 나누고, 서로의 생각을 나누면서 좋은 영향을 주고받는 사이가 된다는 것입니다. 이런 만남의 횟수가 증가하면서 더 깊은 주제에 관해 이야기를 나누면서, 서로의 성장과 성숙을 끌어내는 좋은 결과를 함께 만들어 가게 됩니다.

자기 주관이 뚜렷한 사람이 견지해야 할 능력이 있습니다. 그것은 수용력입니다. 수용력은 우선 잘 들어주는 것입니다. 경청을 잘하는 훈련이 필요합니다. 그리고 주제를 파악해서 제 생각과 비교 정리하는 과정이 필요합니다. 그리고 포용과 양보의 입장을 통해 받아들이는 수용력을 높이는 결정을 내려야 합니다. 자기 주관은 지키라고 있는 것이기도 하지만, 다른 것에 대한 차이를 분명히 하여 좋은 것을 받아들이기 위한 척도로써 사용하라고 존재하는 것입니다. 자기 주관이 있고 수용력이 있는 멋진 사람이 되시기 바랍니다.

　바다에는 등대가 있습니다. 사람에게는 자기 주관이 있습니다. 등대가 늘 그 자리에 있는 것처럼, 자기 주관도 늘 그 자리에 있어야 합니다. 자기 주관이 분명한 사람이 되시기 바랍니다. 자기 주관을 다른 표현으로 신념이라고 할 수 있습니다. 좋은 신념은 자신에게 유익하고, 이웃에게도 좋은 영향력을 주게 됩니다. 더불어 살아가는 행복한 세상을 만들고자 하는 좋은 신념을 품으시기를 바랍니다. 그리고 함께 이루어가시기를 바랍니다.

글 쓰고, 그림 그리며 살고 싶다

앞으로 5년 뒤에, 10년 뒤에 어떤 모습으로 살고 싶은지 생각해 보시기 바랍니다. 현재만을 바라보며 살다 보면 인생의 험난한 시간이 다가올 때 삶의 의미와 존재의 목적을 잃어버리는 경험을 하게 됩니다. 그럴 때 처방약이 있습니다. "5년 뒤, 10년 뒤 나는 어떤 모습으로 살고 싶은가?"라는 질문을 자신에게 하는 것입니다. 현재의 어려움을 잠시 내려놓고 5년 뒤 나는 어떤 모습으로 살고 싶은지? 자신에게 질문하며 꿈과 소망의 씨앗을 마음에 심으시기를 바랍니다. 씨앗을 심으면 자라게 되고, 열매를 맺게 됩니다. 5년 뒤, 10년 뒤 어떤 삶을 살고 싶은지 꼭 생각해 보시기 바랍니다.

"꿈은 이루어진다."라는 말이 있습니다. 나이가 들어가면서 이 말의 참된 의미를 깨닫게 됩니다. 꿈은 방향을 가리키고 있습니다. 내가 어떤 삶을 살고 싶은지에 대한 나침반 같은 방향을 제시해 줍니다. 그 방향대로 살아가다 보면 꿈에 다다르게 되거나 꿈에 가까운 삶을 살게 되는 것을 경험으로 알고 있습니다. 그래서 후대들에서 꿈에 관한 관심을 가져라. 말하며 기록된 말이 "꿈은 이루어진다"라는 말이라 생각됩니다. 어떤 꿈을 마음에 품고 살고 계시는가요? 꿈을 마음에 품고 사시기 바랍니다.

나의 꿈과 함께 친구의 꿈에 대해서도 관심을 두시기를 바랍니다. 친구와 대화를 나누며 5년 뒤, 10년 뒤 어떤 삶을 살고 싶은지 질문해 주시기 바랍니다. 사람은 질문을 받게 되면 그 순간부터 그 질문에 대해서 깊이 생각하게 됩니다. 생각하면서 그 질문에 합당한 답을 찾게 됩니다. 그 답을 친구에게 말하면서 그 친구 마음에 꿈이 기록됩니다. 마음에 기록된 꿈은 늘 간직하게 되고, 그 꿈으로 인해 현재의 삶을 조금씩 변화시키는 달라진 친구의 모습을 보게 됩니다. 나의 꿈, 친구의 꿈이 같기도 하고, 다르기도 하지만, 두 가지 모두 우리에게 행복한 미소를 짓게 만든다는 것을 기억하시기 바랍니다.

공동체의 꿈에 대해서 생각해 보신 적이 있나요? 내가 속한 공동체의 미래를 생각해 보시기 바랍니다. 10년 뒤, 20년 뒤 내가 속한 공동체는 어떤 모습으로 변하게 될까! 한 가지 분명한 것은 내 나이가 10년, 20년이 더해진 나이가 된다는 것입니다. 그리고 지금 내가 뵙고 있는 10년, 20년 앞서가고 계신 분들의 역할을 내가 맡아서 해야 한다는 사실입니다. 나보다 10년, 20년 앞서서 가고 계신 분들을 잘 살펴보시기를 바랍니다. 그분들의 나이가 되었을 때 나는 어떤 역할을 해야 할지 기록해 보시기 바랍니다. 추상적인 미래를 상상하는 것보다 구체적인 미래를 상상해 보며 준비해 가는 지혜로움이 있기를 소망합니다.

글을 쓰고, 그림을 그리고, 상담해주고, 음식을 나누고, 차 한잔을 대접하고, 찬양을 함께 부르고, 함께 기도하고, 함께 여행을 가고, 함께 공동체를 위해 기도하는 아름다운 모습의 노년을 상상해 봅니다. 이 상상이 현실이 될 때를 기대하며 오늘을 살아갑니다. 이 상상이 현실이 되어가면서 먼저 하나님의 부름을 받는 사람들이 있을 것입니다. 그래서 더욱 이 상상이 속히 다가오는 현실이 되어 한 번이라도, 몇 번이라도 함께 하는 그 행복을 누리며 살기를 소망합니다.

"5년 뒤, 10년 뒤 나는 어떤 모습으로 살고 싶은가?" 오늘 꼭 자신에게 질문해 보시고, 옆에 있는 동료에게도 질문해 보시기 바랍니다. 잠시 찻잔을 마시며, 내 미래의 모습을 상상해 보시기 바랍니다. 부정적인 모습은 버리고 긍정의 모습으로 그 상상의 나래를 펼치시기를 바랍니다. 하나님이 우리 각자에게 자기 결정권을 주셨습니다. 자신의 미래를 스스로 그려보시고, 그렇게 살기로 결정해 보시기 바랍니다. 그리고 그렇게 살아가시기를 바랍니다. 꿈을 마음에 품은 사람, 그 얼굴에 미소가 보입니다. 10년 뒤에 어떤 삶을 살고 싶으신가요? 함께 생각해 보시지요!

중년의 사색에 대하여

인간은 생각하는 능력을 갖춘 존재입니다. 생각한다는 것은 두 가지 관점이 있습니다. 나를 중심으로 하는 관점과 타인을 중심으로 하는 관점입니다. 나를 중심으로 하는 관점을 이기주의라고 합니다. 타인을 중심으로 하는 관점을 이타주의라고 합니다. 모든 사람은 이기주의와 이타주의를 가지고 있습니다. 두 관점 중에 어느 관점에 시선을 집중하느냐에 따라 말과 행동이 달라집니다. 좋고 나쁨의 이분법적인 평가에서 벗어나서 성장과 성숙이라는 평가의 관점으로 두 관점을 살펴보시기를 바랍니다.

이기주의를 어떻게 생각하고 계신가요? 이기주의는 보통 부정의 의미를 많이 담아 사용합니다. 그런데 자세히 살펴보면 이기주의는 나의 본연의 모습입니다. 모든 생각의 시작점이고, 출발점입니다. "

나를 인지해야 남을 인지할 수 있다"는 전제를 놓고 보면, 이기주의는 가장 기본적인 자아의식을 갖게 하는 행동입니다. 나를 인지하고, 나를 사랑하는 행위입니다. 이기주의에서 출발해서 이타주의로 가는 과정을 성장과 성숙이라고 합니다. 이기주의는 좋고 나쁜 것이 아닙니다. 나를 발견하고 나를 인정하는 기본단계입니다.

이타주의를 어떻게 생각하고 계신가요? 이타주의는 보통 긍정의 의미를 담아서 많이 사용됩니다. 타인을 존중하고 배려하는 모습이기에 모든 사람이 해야 하는 일로 규정하고 있습니다. 여기서 한가지 질문을 해 보겠습니다. "타인을 존중하고 배려하는 일이 쉬울까요? 어려울까요?" 이타주의를 실천하는 일은 섬김과 봉사의 일입니다. 나의 시간과 물질과 에너지를 타인을 위해 사용하는 일입니다. 그래서 어려운 일입니다. 어려운 일이지만, 꼭 해야 하는 일이기도 합니다. 힘들더라도 꼭 해야 하는 일이 이타주의입니다. 이타주의를 실천하면서 성장과 성숙의 경험을 하게 됩니다.

이기주의에서 이타주의로 나아가기 위해서는 사색이 필수적입니다. 사색은 모든 일에 대해서 생각하는 것입니다. 생각하고 말하고, 생각하고 선택하고, 생각하고 결정하는 것 등등입니다. 어떤 일을 시작하기 전에 생각하는 것, 이 행위가 중요합니다. 인간은 기본적으로 자신만을 위한 선택과 결정을 내리도록 시스템이 만들어져 있습니다. 나만을 위한 선택과 결정을 벗어나서 우리라는 공동체를 위한 선택과 결정을 내리기 위해서는 생각해야 합니다. 나의 유익과 타인의 유익을 함께 생각하면서부터 이기주의를 벗어나 이타주의로 나아가는 것입니다.

"가장 이타적인 것이 가장 이기적인 것이다." 이 말의 의미를 생각해 보시기 바랍니다. 타인을 향한 존중과 배려는 나에 대한 존중과 배려라는 좋은 결과로 되돌아올 것입니다. 산 위에서 소리를 치면, 메아리가 되돌아옵니다. 그 메아리는 내가 했던 말과 똑같은 말입니다. "가장 이타적인 것이 가장 이기적인 것이다"라는 말속에 삶의 지혜가 담겨 있습니다. 사랑을 베풀며 사는 것이 나를 행복하게 만드는 일임을 깨달으시기를 바랍니다. 쉬운 일은 아니지만, 나를 위해, 우리를 위해 꼭 해야 하는 중요한 일입니다.

어른이 되어가는 수련 과정이 중년입니다. 중년의 나이에 접어들면 자아 성찰이라는 말을 늘 접하게 됩니다. 자기 자신을 돌아보며 말과 행동을 조심히 하고, 실수를 줄여가며, 타인에게 인생의 본이 되는 삶의 모습을 보여주는 때입니다. 삶에 대한 여유를 만들어 갈 때고, 인생의 의미에 대해 깊이 생각하는 때입니다. 삶의 의미와 가치에 관심을 가지고 신중한 선택과 결정을 내리는 때입니다. 중년의 때 사색은 필수적입니다. 주변을 돌아보며 조화와 조율의 관점에서 생각하시기 바랍니다. 중심을 잡아주는 선택과 결정을 내리시기를 바랍니다. 중년의 나이를 잘 통과하여 노년의 경륜을 보여주시기를 바랍니다.

인생은 성장과 성숙의 과정에서 슬기로운 사람이 되는 것입니다. 슬기로운 사람은 늘 생각합니다. 자신에 대해서, 타인에 대해서 생각합니다. 내 삶의 이유와 타인의 삶의 이유에 대해서 생각하며 의미와 가치를 만들어 갑니다. 생각하며 살기에 내공이 쌓입니다. 인생의 풍파에서 흔들림이 적고, 다시 원래의 위치로 돌아오고, 외부 환경으로부터 오는 상처를 빠르게 회복합니다. 이런 내공은 사색으로부터 만들어집니다. 생각하며 사는 것, 중년에서 노년으로 가는 지혜로운 삶의 모습입니다. 하나님이 우리에게 생각하는 힘을 주셨습니다. 하나님이 주신 소중한 것이기에 잘 사용하시기 바랍니다. 나를 위해, 공동체를 위해...

'저분이 왜 저렇게 되었을까?'

인생에서 경험은 소중한 자산입니다. 경험이라는 것은 몸으로 체험하여 얻은 지식을 말합니다. 생각으로만 느끼고 아는 것이 아니라 직접 그 시간과 상황에서 느끼고 알게 된 사실을 정리한 것이 경험입니다. 두 가지 경험을 쌓아가야 합니다. 직접경험과 간접경험입니다. 직접경험은 말 그대로 몸소 체험하는 것입니다. 그리고 간접경험은 타인의 모습과 기록된 책을 통해 얻는 관찰 경험입니다. 두 가지 경험 모두 내 인생에 좋은 영향을 주는 요소입니다.

우리 가운데 경험이 가장 많은 사람이 누구일까요? 직접경험의 관점에서 보면 나이가 가장 많은 분일 것입니다. 간접경험의 관점에서 보면 주변을 늘 관찰하며 사는 사람과 책을 통해 타인의 삶을 늘 살펴보는 사람일 것입니다. 직접경험과 간접경험을 통해 얻는 지식은 우리의 삶에 큰 영향을 주게 됩니다. 내가 하고 싶은 일이 무엇인지를 알게 하고, 어떤 인생을 살아야 하는지를 알게 하고, 이웃과의 인간관계를 어떻게 맺어가야 하는지를 알게 해 줍니다. 그리고 인생에서 소중하고 중요한 것이 무엇인지를 깨닫게 해 줍니다.

여러분이 생각하시기에 인생에서 가장 소중한 것은 무엇인가요? 한번 내가 소중하게 생각하는 것이 무엇인지 기록해 보시기 바랍니다. 한 열까지 정도 기록하셨다면, 그중에 조금 덜 소중한 것 순으로 빼서 다섯가지로 줄여 보시기 바랍니다. 다섯가지를 놓고 다시 조금 덜 소중한 것 두 가지를 빼 보시기 바랍니다. 그리고 남은 세 가지를 놓고 깊이 생각해 보시기 바랍니다. 내가 진짜 소중하게 생각하는 세 가지, 왜 이 세 가지를 내가 소중하고 여기고 있는지 깊이 생각해 보시기 바랍니다. 소중한 것은 나를 움직이는 힘의 원천이 되는 것입니다. 나의 본질을 볼 수 있는 핵심적인 것입니다.

시간의 관점에서 인생에 대한 세 가지 질문에 대해 잠시 생각해 보시기 바랍니다. 과거형으로 질문을 하면 "어떤 인생을 살고 싶으셨나요?" 현재형으로 질문하면 "어떤 인생을 살고 있나요?" 미래형으로 질문하면 "앞으로 어떤 인생을 살고 싶으신가요?" 같은 의미의 질문을 시간의 관점에서 기록해 본 것입니다. 질문을 읽으면서 잠시 생각에 빠지게 됩니다.

자신에게 질문해 보시기 바랍니다. "과거 나는 어떤 인생을 살기를 원했을까?", "나는 지금 어떤 인생을 살고 있는가 ?", "나는 앞으로 어떤 인생을 살 것인가?" 내 인생에 관한 질문을 통해 자신을 성찰해 보시기 바랍니다. 이런 질문은 나이에 상관없이 우리가 모두 해야 하는 좋은 질문입니다. 이 질문을 통해 우리는 자신을 돌아보고, 자기 삶을 성찰하는 시간을 갖게 됩니다. 실수와 실패는 우리의 삶에 늘 존재합니다. 이 실수와 실패를 줄여가는 것, 용납해 주고, 기다려 주는 넓은 마음을 갖는 것이 우리가 지향해야 하는 삶의 좋은 모습입니다.

인생은 성장과 성숙의 연속이어야 합니다. 조금이라도 성장하고 성숙하려는 노력을 기울여야 합니다. 그래야 나이에 맞는 좋은 인생을 살아갈 수 있습니다. 자신을 돌아보는 성찰의 시간을 갖는 사람과 그렇지 않은 사람은 시간의 흐름 속에 차이가 나게 됩니다. 성숙한 인격을 가진 사람은 문제의 본질을 바라보며 내가 해야 할 일을 찾습니다. 하지만 성숙하지 못한 사람은 잘못된 점을 바라보며 지적질만 합니다. 문제를 지적하는 것은 초보적인 관점에서 해야 할 일입니다. 지적할 만한 문제를 발견했다면 그다음으로 넘어가야 합니다. "어떻게 해결할까?" 이 질문의 단계로 넘어가는 것이 성숙입니다. 문제를 해결하고자 하는 노력을 기울이는 삶을 지향하시기 바랍니다.

"모든지 안돼!"라는 말과 "할 수 있어!"라는 말 중에 어느 것을 선택해야 할까요? 전제조건을 말씀드리면, 내 인생을 놓고 하는 말이라고 생각해 보시고 선택해 보시기 바랍니다. 둘 중 하나를 선택하셨지요? 그러면 전제조건을 바꾸어 보겠습니다. 내가 속한 공동체를 놓고 선택해 보시기 바랍니다. 둘 중 하나를 선택해 보시기 바랍니다. 내 삶의 변화와 내가 속한 공동체의 변화는 어떤 선택을 하느냐에 따라 결과가 달라집니다. 내가 어떤 선택을 하느냐? 공동체의 구성원들 한 사람, 한사람이 어떤 선택을 하느냐에 따라 결과가 달라집니다. 바라기는 한 번뿐인 인생에서 좋은 변화를 만들어 가는 좋은 인생을 선택하시기 바랍니다.

언제 만나도 반가운 얼굴이 있습니다. 대화를 나누면 이전보다 더 성숙해진 느낌을 받게 되는 사람이 있습니다. 한번 만난 후 또다시 만나고 싶은 사람이 있습니다. 우리는 얼굴도 다르고, 성격도 다르고, 생각하는 모든 것이 다르지만, 서로에게 좋은 영향을 주고받는 좋은 인간관계를 만들며 살아갈 수 있는 능력을 갖춘 인간입니다. 이 능력을 잘 사용하여 스스로 좋은 인간의 모습을 만들어 가시기 바랍니다. 인격과 품격 그리고 좋은 어른의 모습을 만들어 가시기 바랍니다. 예수님이 가르쳐 주신 두 번째 계명, 네 이웃을 네 몸과 같이 사랑하라. 이 계명 속에 인생의 진리가 담겨 있습니다.

행복의 요인

옛 어른들 말씀에 한사람의 인생을 평가하려면 그 사람의 장례식장에 찾아오는 사람들을 보면 알 수 있다고 합니다. 한번 생각해 보시기 바랍니다. 내가 이 세상과 아름다운 이별을 하는 날 나의 장례식에 찾아와 주는 사람이 누구일까? 시간이 되신다면 그 이름을 적어 보시기 바랍니다. 이름이 기록된 사람들과 나와의 관계는 좋은 인간관계일 것입니다. 많은 이름을 기록할 수 있는 좋은 인간관계를 만들어 가시기 바랍니다.

인간관계의 가장 기본은 Give & Take라고 합니다. 주고받는 관계 속에서 신뢰가 쌓이고, 신뢰가 쌓이면 좋은 인간관계가 만들어집니다. 나는 어떤 사람들에게 나의 시간과 에너지를 주고 있는지 살펴보시기를 바랍니다. 그리고 그들을 통해 나는 어떤 것을 돌려받고 있는지 생각해 보시기 바랍니다.

첫 번째 내가 준 것보다 더 좋은 것을 돌려주는 관계가 있을 것입니다. 감사한 일입니다. 두 번째, 내가 준 것보다 덜 좋은 것을 돌려주는 관계가 있을 것입니다. 실망하지 마시기 바랍니다. 내가 더 줄 수 있어서 감사하시기 바랍니다. 세 번째 내가 준 것에 대하여 반응이 없는 관계가 있습니다. 둘 중 하나를 선택하시기 바랍니다. 인간관계를 끊거나, 그런데도 그를 긍휼히 여겨 계속 내가 줄 수 있는 좋은 것을 주는 선택입니다. 나누어 줄 수 있다는 능력이 내게 있다는 것에 초점을 맞추어 생각하시기 바랍니다. 그러면 인간관계의 초심을 잃지 않을 수 있습니다.

인간관계의 기본에서 한 단계 높은 단계를 생각해 보시기 바랍니다. 주기만 하는 관계입니다. 부모님이 자녀에게 계속 좋은 것을 주시는 모습을 생각해 보시기 바랍니다. 주기만 하는 데도 좋은 인간관계는 변함이 없습니다. 혈연관계라는 특수한 요소가 작용하기 때문입니다. 이 특수한 요소의 기본이 사랑입니다. 이 사랑의 마음을 품고 이웃에게 좋은 것을 나누어주는 아름다운 실천을 하시기 바랍니다. 이런 실천을 하는 사람을 우리는 어른이라고 말합니다. 어른이 되어 주시기 바랍니다.

인간관계에서 받기만 하는 사람이 있습니다. 인간관계를 잘 못하는 사람입니다. 몰라서 못 한 것이었다면 지금부터라도 주는 사람이 되기를 결단하시기 바랍니다. 받은 것보다 작은 것이라도 나누어 주는 삶을 실천해 보시기 바랍니다. 좋은 인간관계가 만들어질 것입니다. 내 주변에 좋은 사람이 있는 것은 두 가지 이유 때문입니다. 첫째는 그들이 내게 다가와 주어서입니다. 둘째는 내가 그들에게 다가가서입니다. 좋은 사람들이 내게 다가와 주기를 기다리는 것보다 내가 그들에게 다가서는 것이 더 확실한 방법입니다.

행복은 인간관계 속에서 만들어지는 기쁨과 즐거움입니다. 좋은 사람들과 대화를 나누고, 음식을 나누고, 함께 일하게 되면 그 자체가 행복이라는 느낌이 들게 만듭니다. 행복해하고 싶다면, 좋은 사람들 옆으로 가시기 바랍니다. 그러면 그곳에서 행복을 만나게 됩니다. 행복은 누가 주는 것이기도 하지만, 내가 만드는 것이기도 합니다. 누군가가 나에게 행복을 나누어 주는 것을 기다리기보다, 내가 만드는 것이 훨씬 더 빠릅니다.

행복, 만드시기를 바랍니다. 내가 좋은 사람이 되면 됩니다. 내가 먼저 나누어 주면 됩니다. 내가 먼저 실천하는 것이 가장 빠른 방법입니다. 할 수 있습니다. 해 보시기 바랍니다. 처음부터 좋은 사람이 정해진 것은 아닙니다. 좋은 사람으로 변화된 것입니다. 어린아이가 어른이 되는 것처럼, 좋은 사람으로 성장하는 것입니다. 지금부터 시작하시기 바랍니다. 늦지 않았습니다.

오늘 하루 행복하시기 바랍니다. 좋은 사람 옆에 다가가는 것, 내가 나누어 줄 수 있는 좋은 것을 이웃에게 나누는 것, 내가 나누어 줄 수 있는 능력이 있다는 것, 어른의 입장을 견지하겠다고 결심하는 것 등등이 오늘의 행복을 만들고, 지킬 수 있는 힘이 됩니다. 행복을 만드는 능력을 이웃에게 보여 주시기 바랍니다. 오늘 하루, 내 인생의 발자취를 행복으로 남기시기 바랍니다. 그 행복이 쌓여가는 오늘 하루 잘 보내시기를 바랍니다.

3부

글 속에 담긴 교훈 생각하기

오랜 세월을 함께 한다는 것

오랜세월이라는 말은 얼마의 기간을 말하는 것일까요? 아마 적어도 10년 이상의 시간을 말하지 않을까 생각합니다. "십 년이면 강산도 변한다"라는 말처럼, 오랜 세월이란 십 년 이상의 시간을 의미한다고 정리하는 것이 적절할 것입니다.

한번 10년 이상 오랜 세월을 함께 한 사람들이 누가 있는지 생각해 보시기 바랍니다. 사랑하는 가족들, 친구들, 동료들이 있을 것입니다. 오랜 세월을 매일 매일 얼굴을 보며 지내고 있는 사람들입니다. 늘 익숙하고, 가까이에서 지켜보며 사는 사람들입니다.

오랜 세월을 함께 한 사람들의 관계를 잘 살펴보시기를 바랍니다. 세 가지의 모습을 보게 됩니다. 첫째는 아주 친한 사이입니다.

둘째는 가깝지도 멀지도 않은 사이입니다. 셋째는 먼 사이입니다. 오랜 세월을 함께하면서 보고, 듣고, 일하면서 만들어진 인간관계의 거리입니다.

오랜 세월을 함께 한 사람들은 고운 정, 미운 정이 다 든다고 합니다. 서로가 떠나게 되는 이별의 시간이 다가오거나, 상대방이 어려운 일을 당하게 되면 미운 정도 고운 정으로 바뀌게 됩니다. 오랜 세월을 함께 했다는 사실만으로도 이별과 위기의 순간이 다가오면 손을 내밀어 도움을 주고자 하는 손길을 바뀌게 됩니다.

오랜 세월을 함께 한 사람들은 내 인생에 등장하는 조연들입니다. 조연들이 있어야 주연이 빛이 납니다. 내 옆에 오랜 세월 함께한 사람들이 있기에 내 인생이 빛이 나는 것입니다. 내 인생을 빛나게 해준 조연들을 잘 대해 주시기 바랍니다. 나도 누군가의 조연이 되어주며 사는 것이 좋은 인생을 사는 것입니다.

오랜 세월을 함께하는 사람들에게는 동지 의식이라는 것이 만들어집니다. 오랜 세월을 같은 삶의 가치와 목표를 가지고 살아왔기에 동지 의식이 생겨날 수밖에 없습니다. 이 동지 의식은 긍정적인 요소가 많습니다. 오랜 세월을 함께했기에 손발이 맞고, 일의 추진력이 쉽게 만들어 질 수 있기 때문입니다. 지금과 같이 빠른 변화의 시대에 필요한 것이 동지 의식입니다. 함께 마음을 모으고, 뜻을 같이하는 것, 이것이 빠른 변화의 시대에 살아갈 수 있는 지혜로운 방법입니다.

오랜 세월을 함께 산다는 것은 다른 말로 함께 늙어간다는 것입니다. 다른 표현으로 서로의 성숙함을 본다는 것입니다. 젊었을 때는 아웅다웅하며 살았지만, 점점 나이가 들어가면서 서로를 이해하고, 포용하는 모습으로 바뀌게 되는 모습을 보는 것입니다. 서로 성숙해지는 변화를 보며 오랜 세월을 함께 한 사람들 사이에 애틋함이 생겨납니다. 이 애틋함이 동지애입니다. 생사고락을 함께 한 사람들만 알 수 있는 말로 표현할 수 없는 감정입니다.

오랜 세월을 함께 살았다는 것은 기억을 공유하고 있다는 것입니다. 기억을 공유하고 있다는 것은 함께 이야기를 나눌 수 있는 대화의 주제가 있다는 것입니다. 서로를 알아주고, 인정해 줄 수 있는 기억이 존재한다는 것은 참 행복한 일입니다. 그 옛날을 회상하며 "그때 참 좋았어!"라고 말하며 미소를 짓는 모습을 상상해 보시기 바랍니다. 오랜 세월을 함께 한 사람들이 나에게 소중한 사람들임을 재삼 깨닫게 될 것입니다.

지금 내 옆에 있는 사람이 나에게 소중한 사람이고, 내 인생의 벗입니다. 가족, 이웃, 동료라는 관계 속에 살아가는 사람들과 함께 행복한 일을 만들며 살아가시기를 바랍니다. 세상과 아름다운 이별을 하는 그 순간까지 내 옆에서 함께 해주는 사람들, 그들이 있기에 내 인생이 외롭지 않았다고 말할 수 있다는 사실, 그것만으로도 행복함에 대해 고백하게 될 것입니다.

　오랜 세월 내 인생의 발자취에 함께 해준 사람들에 대한 감사한 마음을 늘 간직하며 살아가시기를 바랍니다. 이 감사한 마음이 우리의 마음에 성숙함을 가져다줄 것입니다. 그리고 이 성숙함은 우리의 인생을 빛나게 만들어 줄 것입니다. 언젠가 함께 할 수 없는 시간이 다가올 것입니다. 그래서 함께하는 지금 이 순간이 소중합니다. 오랜 세월 함께하였고, 남아있는 시간 동안 함께 하는 시간의 소중함을 느끼며 살아가시기를 소망합니다.

늙는 것에 초연한 사람이 있을까?

이렇게 살아도 되는 것인가? 이 질문에 대해서 한번 생각해 보시기 바랍니다. 질문의 뉘앙스는 자아 성찰적인 질문입니다. 지금 내가 사는 모습대로 사는 것이 내게 유익하고, 가족에게도 유익하고, 이웃에게도 유익한지를 살펴보시기를 바랍니다. 모두에게 유익하다면 그 삶을 유지해 나가시기 바랍니다. 만약 그렇지 못하다면 심각하게 인생을 다시 생각해 보아야 합니다.

이대로 사는 것이 최선인가? 이 질문에 대해서도 생각해 보시기 바랍니다. 삶은 사는 대로 생각할 수도 있고, 생각한 대로 살수도 있습니다. 나는 어떤 삶을 살고 있는지 한번 점검해 보시기 바랍니다. 바라기는 사는 대로 생각하는 것이 아니라, 생각한 대로 사는 삶을 지향해 나가시기 바랍니다. 그래야 먼 훗날 후회하지 않는 인생의 발자취를 남길 수 있기 때문입니다.

나이를 먹는다는 것은 어떤 의미일까? 이 질문에 대해서 하고 싶은 이야기들이 많을 것입니다. 나이를 먹는다는 것에 대한 중압감도 들고, 해야 할 역할도 많아지고, 체력이 달려 포기하는 것들도 생기고, 중년의 무게감과 노년의 소외감이 다가오는 것이 느껴지기에 매순간, 순간이 위기로 느껴집니다. 어렸을 때는 나이를 먹는다는 것이 좋게 느껴졌지만, 어른이 되어서 보니 나이를 먹는다는 것이 어렸을 때와는 다르다는 것을 느끼게 됩니다.

한번 부모님을 생각해 보시기 바랍니다. 백발이 성성한 나이가 되실 때까지 어떻게 이 위기의 순간들을 넘고 넘어오셨을까? 존경의 마음이 들고, 뒤를 따라가는 후손으로 묵묵히 앞서가신 부모님의 모습을 보며 한걸음, 한걸음 발걸음을 내딛게 됩니다.

나이를 먹는다는 것은 자연의 섭리이며, 누구에게나 거스를 수 없는 순리입니다. 이 순리 속에 우리가 해야 할 역할과 책임이 담겨 있습니다. 나이를 먹으면서 얻게 되는 호칭이 있습니다. 어른이라는 호칭입니다. 이런 어른이 되어주시기를 바랍니다. 포용과 화합과 이해와 격려 그리고 나눔과 봉사를 삶으로 보여주는 좋은 어른이 되어 주시기 바랍니다. 어린아이와 같은 순수한 마음으로 성실함과 정직함을 보여주는 어른이 되어 주시기 바랍니다.

어른들의 모습을 다음 세대가 보며 자라가고 있습니다. 현재 나타나는 모든 문제의 대부분이 앞선 세대가 남겨놓은 문제일 수 있습니다. 그러므로 누구나 시간의 흐름 속에 앞선 세대가 됨을 깨닫고, 좋은 어른의 모습을 지향하며 살아야 합니다. 그래야 우리의 후대들에게 미래가 있습니다. 그리고 우리의 인생도 의미가 있습니다. 하나님이 우리에게 주신 순리와 섭리를 잘 생각하며 그에 맞는 역할과 책임을 다하는 어른이 되어 주시기 바랍니다.

주름진 얼굴이지만, 내 인생에서 가장 소중한 분, 부모님입니다. 그 얼굴의 주름 하나하나에 담긴 수고와 희생을 기억하시기 바랍니다. 우리도 부모가 되어 주름이 하나둘 생겨가고 있습니다. 앞선 부모님을 더욱 이해하고, 뒤에 오는 자녀들의 인생에 본이 되어 주는 삶을 사시기 바랍니다. 생각하며 사는 것, 우리가 지향해야 할 삶의 좋은 모습입니다.

늙는다는 것은 슬픈 일입니다. 하지만, 슬프기만 한 일은 아닙니다. 인생을 더욱 깊이 생각하고, 통찰력을 가지고 볼 수 있는 혜안이 떠지는 나이이기 때문입니다. 하나님이 인간을 사랑하신다는 의미를 노년에 다시 생각해 보시기 바랍니다. 그 의미의 깊이는 이전과 다를 것입니다.

오늘 일은 오늘에 족하다

지나온 세월 어떻게 사셨나요? 아마 이야기보따리가 하나가득이실 것입니다. 그동안 살아오시면서 우여곡절도 여러 번 지나셨을 것입니다. 그리고 그 과정 가운데 만들어진 에피소드들이 차고 넘칠 것입니다. 참 인생을 돌아보면 즐거웠던 일도 많고, 가슴 아픈 일도 많았습니다. 눈에서 눈물이 나는데 기쁜 눈물일 때도 있고, 때로는 슬픈 눈물일 때도 있었습니다. 인생에서 눈물은 그 의미가 깊은 것임을 삶에서 깨닫게 됩니다.

사람은 누구나 아픈 기억이 하나씩은 있습니다. 그 아픔의 기억이 우리의 삶에 밑거름이 되어 주기도 하고, 우리의 삶을 흔들기도 합니다. 바라기는 아픔의 기억이 우리의 삶을 흔들지 못하게 하시기 바랍니다. 아픔의 기억은 과거에 머물러 있어야 합니다. 현재로 가지고 오면 안 됩니다. 만약 현재로 가져온다고 하면 우리의 삶에 공감이라는 좋은 방향으로 발현되어야 합니다. 인생의 아픔을 함께 느끼는 공감, 그 공감의 능력으로 아픔의 기억들이 탈바꿈되어야 합니다. 그래야 인생의 밑거름이 되는 좋은 결과를 만들게 됩니다.

 사람은 불완전한 존재입니다. 그래서 실수할 수 있고, 실패할 수 있습니다. 어린아이들이 자라가면서 실수와 실패를 할 때 책망하기보다, 위로와 격려를 해주는 것이 더욱 좋은 모습입니다. 완벽을 추구하되, 그 과정에서 나타나는 실수와 실패는 보듬어 안아주어야 하는 일입니다. 차가운 눈보다 따뜻한 시선으로 바라봐 주시기 바랍니다. 다음에는, 그다음에는 조금 더 나아진 모습으로 성장할 것입니다. 기대하고 기다려 주는 사람이 있다면, 좋은 결과를 맞게 될 것입니다.

 실수해서 자책을 하더라도 5분을 넘지 않도록 하시기 바랍니다. 5분 뒤에는 새로운 결심을 하고 새로운 일을 시작하시기 바랍니다. 이미 지나간 일입니다. 다시 돌이킬 수 없습니다. 실수를 통해 교훈을 얻으시기를 바랍니다. 그리고 그 교훈을 마음에 품으시기를 바랍니다. 그러면 인생의 좋은 밑거름이 되어줄 것입니다. 5분만 후회하고, 5분만 자책하시기 바랍니다. 그다음에는 새로운 마음으로 새로운 시간을 살아가시기를 바랍니다.

 우리의 삶에 근심과 걱정과 염려는 떠나지 않습니다. 늘 내 옆에 있는 것입니다. 불편한 것들이지만, 부정할 수 없는 것들이기도 합니다. "이것을 내 삶에 어떻게 유익함으로 바꿀 수 있을까!" 한 번 생각해 보시기 바랍니다. 이렇게 생각해 보시기 바랍니다. 근심과 걱정과 염려를 센서라고 생각하시기 바랍니다. 우리의 삶에 위험신호를 알려주는 센서라고 생각하시면, 그 의미가 조금 다르게 다가올 것입니다. 근심과 걱정과 염려를 센서로 활용하시기 바랍니다. 센서가 있어 위험을 미리 방지할 수 있습니다. 다가오는 일에 대해서 긴장하고, 준비하고, 잘 처리하시기 바랍니다. 모든 것을 인생의 유익함으로 바꾸는 지혜로움을 실천해 보시기 바랍니다.

오늘 하루, 이 하루는 내 인생에서 단 하나뿐인 시간입니다. 단 하나뿐인 이 소중한 시간을 시작하면서 해야 할 일이 있습니다. 그것은 기도입니다. "하나님! 오늘 하루도 내 인생에서 동행하여 주시고, 내가 만나는 모든 사람에게 기쁨과 즐거움을 선사하는 행복한 하루가 되게 하여 주옵소서. 예수님이 이름으로 기도드립니다." 짧고 간단한 기도를 하고 하루를 시작하시기 바랍니다. 오늘 멋진 하루가 될 것입니다.

오늘 만나고 싶은 사람을 한번 떠올려 보시기 바랍니다. 그리고 그 사람을 만나고 싶은 이유를 생각해 보시기 바랍니다. 아마, 지금 나에게 그 사람과 소통하면서 얻고 싶은 부족함이 있기 때문일 수 있습니다. 만나서 이런저런 이야기를 나누며 내 안에 부족함을 채워보시기를 바랍니다. 그리고 그 과정에 그 사람의 부족함도 채워주시기를 바랍니다. 인생의 기본은 주고받기입니다. 먼저 주시고, 받으시기를 바랍니다. 좋은 인간관계를 맺어가는 기본입니다.

오늘 하루 성실하고 행복하게 살아가시기를 바랍니다. 오늘은 곧 지나갑니다. 가기 전에 이 시간을 잘 사용하시기 바랍니다. 오늘 한번 좋은 일 해보시기 바랍니다. 매일 한 번씩 좋은 일을 하면 일주일에 일곱 번은 좋은 일을 하며 사는 것입니다. "오늘, 한번"이라는 시간과 용기가 쌓이면 내 인생이 아름답게 만들어질 것입니다. 오늘 행복하시기 바랍니다. 내일의 행복은 내일 주어질 것입니다. 오늘 하루 만나는 모든 사람에게 미소를 선사해 주시기 바랍니다. 미소, 가장 좋은 선물이 선물입니다.

어제와 같은 오늘을 살면서

"어제와 같은 오늘"이라는 문장을 읽으시면서 어떤 느낌이 드시는지요? 아마 똑같이 읽고 다르게 느낄 것 같습니다. 어떤 사람은 "어제 행복했으니 오늘도 행복할 거야!"라는 희망찬 느낌으로 읽을 것 같고, 또 다른 사람은 "어제나 오늘이나 별반 차이 없는 다람쥐 쳇바퀴 같은 인생이라는 의미군!"이라고 생각할 것입니다. 그 외에도 다양한 느낌을 표현할 것입니다.

"어제와 같은 오늘" 이 문장이 주는 의미를 다양하게 생각해 보시기 바랍니다. 정적인 면에서는 안정감과 편안함을 주는 문장입니다. 어제 한 일을 오늘도 하고 있고, 내일도 할 것이라는 큰 변화 없이 해야 할 일이 이어지는 느낌이 들게 만듭니다. 동적인 면에서는 지루함과 정체감을 느끼게 하는 문장입니다. 하루하루가 똑같다고 느끼게 하고, 더는 발전이 없는 느낌이 들게 합니다. 갇혀 있다는 느낌도 듭니다.

어떻게 하면 "어제와 같은 오늘"이라는 문장이 주는 좋은 삶의 교훈을 찾을 수 있을까요? 성장이라는 관점에서 그 해답을 찾아보시기를 바랍니다. 성장할 때는 계단식으로 성장한다고 합니다. 꾸준히 노력하면서 맡겨진 일을 할 때 일정한 시간 동안 큰 변화가 없다가 어느 순간 한 단계를 올라가는 점프의 구간이 있다고 합니다. 이를 반복하면서 성장이 이루어집니다. "어제와 같은 오늘"은 성장을 준비하는 시간입니다.

"어제와 같은 오늘"이라는 반복되는 느낌이 들깨 조금의 변화를 주시기 바랍니다. 어제의 시간과 오늘의 시간은 다릅니다. 어제는 과거가 되었고, 오늘은 현재입니다. 선택과 결정을 내리면서 과거의 발자취를 남기며 사는 것이 인생입니다. 같은 선택과 결정을 내리며 안정감 속에 살지만, 때로는 조금 다른 선택도 해 보시기 바랍니다. 현재라는 시간에서 할 수 있는 새로운 선택과 결정을 통해 어제와 다른 오늘을 만들어 보시기 바랍니다.

성장을 위해서는 변화의 과정이 필연적입니다. 이전에 해 본 적이 없던 것들을 해보는 작은 용기를 갖는 것입니다. 하나씩, 하나씩 변화를 추구하다 보면 이전과 다른 새로운 환경이 만들어지고, 생각이 바뀌게 되고, 새로운 길을 발견하게 됩니다. 작은 용기와 작은 변화의 선택이 새로운 길로 우리를 인도하는 결과를 경험해 보시기 바랍니다.

"어제와 같은 오늘"에 갇혀 살지 마시기 바랍니다. 습관대로 말하고 행동하는 것이 편안합니다. 그런데 이 편안함이 나만의 편안함인지에 대해서 한번 자문해 보시기 바랍니다. 나만의 편안함이 내 옆에 있는 사람에게 불편함으로 주어지는지를 세심한 관찰을 해 보시기 바랍니다. 내 옆에 있는 사람에게 조금이라도 불편함을 주고 있다는 것이 느껴진다면, 지금 즉시 습관의 변화를 주시기 바랍니다. 굳어진 습관을 바꾼다는 것은 어렵습니다. 하지만, 어른이 되어가는 과정 중에 꼭 해야 할 일입니다. 어른이 되어간다는 것은 나만의 편안함을 추구하는 것이 아니라, 상대에 대한 배려를 실천하는 것입니다.

"어떤 인생을 살고 싶으신가요?"라는 질문에 답을 해보시기 바랍니다. '그동안 나는 어떤 삶을 살아왔는가?', '지금 나는 어떤 삶을 살고 있는가?', '앞으로 어떻게 살아가야 할까?', '이대로 쭉 살아가도 될까?', '아니면 삶에 변화를 주어야 할까?' 스스로 질문하며 답을 찾아보시기를 바랍니다. 작은 변화를 선택하며 살아가는 것이 습관의 굴레를 벗어나, 더 나은 미래의 나를 찾아가는, 만들어가는 첩경이라 확신합니다. 오늘 하루도, 어제와 같은, 어제와 다른 두 가지의 선택지 속에서 지혜로운 선택을 하며 살아가시기를 바랍니다.

급할수록 천천히

하루를 살아가고, 또 하루를 살아갑니다. 이렇게 하루하루를 살아가는 것이 우리네 인생의 모습입니다. 하루 동안에 내가 경험한 모든 것이 내 인생의 발자취가 됩니다. 그 발자취 속에서 인생의 교훈을 배우며 살아가고 있습니다. 인생의 교훈이 쌓여가면서 성숙한 인생을 살아가게 됩니다. 단번에 성숙에 이르는 인생은 없습니다. 오랜 시간 동안 인생의 경험이 쌓이고, 교훈이 쌓이면서 만들어지는 것이 성숙입니다.

성숙한 사람은 지나온 자신의 발자취에 후회함이 남지 않는 선택을 하려고 노력합니다. 본의 아니게 타인에게 손해를 끼치지는 않는지, 잘못된 선택으로 여러 사람이 어려움을 당하지 않는지, 내 인생에 오점이 남지는 않는지 등등 자신과 이웃을 돌아보며 올바른 선택을 하려고 노력합니다.

성경에 보면 예수님이 두 가지 큰 계명을 가르쳐 주셨습니다. "하나님을 사랑하고, 네 이웃을 네 몸과 같이 사랑하라" 우리는 그리스도인으로서 하나님을 사랑하는 가장 기본을 실천하며 살아야 합니다. 그리고 하나님의 사람으로 이웃을 사랑하며 사는 사람이 되어야 합니다. 이웃의 마음에 상처를 주고, 아픔을 주는 일은 하지 말아야 합니다. 내 옆에 있는 이웃을 소중히 여기며, 기쁨과 즐거움을 나누며 살아가는 행복한 인생을 살아가시기를 바랍니다.

옛 어른들이 후대들에서 들려주는 교훈 가운데 이런 것이 있습니다. "급한 일일수록 천천히 하라" 급한 일을 어떻게 천천히 할 수 있을까요? 급한 일을 급하게 처리하다 보면, 놓치는 것이 있고, 결국 좋은 선택을 하지 못하는 결과를 얻게 된다는 말일 것입니다. 급할수록 잠시 멈추어 더 나은 선택이 무엇인지 생각하고, 주위 사람에게 조언을 듣고, 그다음 신속하게 일을 처리해 나가야 합니다.

아마추어와 프로의 차이가 분명히 있습니다. "힘의 완급을 조절할 수 있느냐?, 감정을 조절할 수 있느냐?"입니다. 아마추어는 감정조절을 잘 못 하여 좋은 성적을 낼 때도 있고, 안 좋은 성적을 낼 때도 있습니다. 등락의 폭이 큽니다. 그러나 프로는 감정의 조절뿐 아니라 힘의 완급도 조절하여 일정한 수준으로 좋은 성적을 냅니다. 그래서 사람들은 프로의 수준에 있는 사람들을 신뢰합니다. 아마추어에서 프로를 향해 나아가시기를 바랍니다.

인생에는 정답이 없다고 합니다. 빠르게 가는 것, 천천히 가는 것 그 자체를 가지고 논하는 것은 큰 의미가 없는 일입니다. 그러나 어떤 방향으로 가느냐에 대해 논의하는 것은 의미 있는 일입니다. 지향하는 방향이 중요합니다. 올바른 방향을 잡아야 그 과정에 담긴 수고로움이 헛되지 않기 때문입니다. 속도로 인해 조급한 마음을 가질 필요는 없습니다. 올바른 방향을 잡았다면 그 방향대로 묵묵히 나아가시기를 바랍니다. 육지에서는 토끼가 빠르지만, 바다에서는 거북이가 빠릅니다. 환경의 변화 속에 속도를 낼 수 있을 때가 꼭 있습니다.

급한 마음이 들수록 '천천히'라는 말을 떠올리며 긴장을 늦추시기를 바랍니다. 조금의 여유가 좀 더 나은 선택과 결정을 내릴 수 있는 환경을 만들어줍니다. 좀 더 많은 선택지에서 제일 좋은 것을 선택하시기 바랍니다. 나와 이웃에게 유익한 좋은 선택을 하며 살아가려고 노력하시기 바랍니다. 성숙한 사람은 이런 선택을 합니다. 이런 선택이 쌓여가면서 사람들에게 존경받는 사람이 되어가는 것입니다. 한 번뿐인 인생에서 존경받을 만한 사람이 되어주시기를 바랍니다.

서두르면 '사이'를 놓친다.

수학에서 0부터 1까지의 거리는 얼마나 될까요? 유한하면서 무한한 거리입니다. 유한하다는 의미는 1까지라는 한계가 정해져 있기 때문입니다. 무한하다는 의미는 0.1, 0.01, 0.001 이렇게 숫자의 값을 쪼개기 시작하면 끝이 없는 무한의 개념을 갖게 되기 때문입니다. 0과 1만 보면 둘 중 하나라는 단순한 선택지만 보입니다. 그런데 0과 1사이에 무한한 숫자를 보면 수많은 선택지가 0과 1사이에 존재함을 인식하게 됩니다.

어린아이들은 이분법적인 사고를 통해 배웁니다. 서로 반대되는 개념을 통해서 기본적인 인지 학습을 합니다. 이 과정을 지나면 삼분법, 사분법적인 사고를 배우게 됩니다. 선택지가 둘이 아닌, 셋, 넷이 있다는 것을 배우게 됩니다. 더 많은 선택지를 놓고 어떤 것을 선택해야 할지에 대한 가치 기준을 배우게 됩니다. 이 과정을 통해 사고의 다양성을 학습하게 됩니다. 다양한 가치 기준에 대한 배움을 통해 생각의 깊이와 사고의 너비를 확장하게 됩니다.

청소년들은 자아 인식 과정을 바탕으로 배웁니다. 나는 누구인가? 나는 어떤 사람인가? 나는 어떻게 살아야 하는가? 등등의 철학적인 질문들을 통해서 자기 자신의 본질에 대한 인식을 바탕으로 꿈을 만들고, 목표를 만들고, 그것을 향해 한걸음, 한 걸음 나아가게 됩니다. 청소년기를 거치면서 가치관이 형성됩니다. 긍정적이고, 바른 가치관이 형성되도록 자신의 노력과 주위의 도움이 필요한 시기입니다.

청년들은 현실의 벽을 통해서 배웁니다. 자기 자신의 인생을 스스로 책임지고자 하는 강한 의지를 다지고 시작합니다. 그리고 곧 현실의 벽에 부딪히면서 실패의 경험을 하게 됩니다. 그리고 다시 일어나 도전하는 과정의 반복 속에서 성장하고 성숙해 갑니다. 우리의 인생에서 실수와 실패는 늘 존재하는 것임을 배우면서 삶의 결과만 보던 관점에서 삶의 과정의 소중함을 보는 관점을 얻게 됩니다.

어른들은 타인의 인생을 통해 배웁니다. 자신과 다른 인생을 살았던 사람들의 이야기를 통해 삶의 지혜를 얻습니다. 자신의 지나온 인생길을 되돌아보며, 미처 깨닫지 못했던 삶의 지혜를 타인의 인생을 통해 배웁니다. 그리고 남은 인생길에서 더 성숙한 삶을 살고자 노력하려고 결심하게 됩니다. 어른으로서의 품위와 모습을 만들어 가고자 노력하는 사람만이 존경받을 수 있습니다.

어른은 노여움이 생길 때 그것을 절제하는 힘이 있습니다. 어른은 큰소리 없이 작은 소리로 모든 일을 해결합니다. 어른은 사람들의 이야기를 잘 경청해 줍니다. 어른은 사람들의 일을 결정해주기보다, 그가 스스로 잘 결정할 수 있도록 조언해 줍니다. 어른은 갈등을 중재하고, 화해를 이끄는 역할을 합니다. 그래서 어른이 계신 공동체는 평안합니다.

자동차의 속도가 빠를수록 시야가 좁아집니다. 속도가 느릴수록 주위를 살펴볼 수 있습니다. 바쁘면 선택과 결정에 오류가 많이 날 수밖에 없습니다. 마음의 여유를 조금이라도 가지고 일을 하시기 바랍니다. 그래야 실수를 미리 방지할 수 있습니다. 목표지향적으로 가다가도 잠시 주위를 돌아보는 여유를 가져야 그 목표를 잘 이룰 수 있습니다. 주위를 둘러보는 삶의 여유를 꼭 가져 보시기 바랍니다.

0과 1 사이를 기억하시기 바랍니다. 0과 1보다 0과 1의 사이에 심오한 인생이 담겨 있음을 보시기 바랍니다. 네 편 내 편만을 구분하는 정치인들과 같이 살기보다, 우리가 모두 서로에게 좋은 이웃이 되는 아름다운 공동체를 지향하며 살아가시기를 바랍니다.

사이의 맛을 알아가면서 서로서로 존중하면서 살아가는 것이 잘사는 인생입니다. 한 번뿐인 인생, 잘살아야 하지 않을까요?

정말 힘드셨지요?

사람은 대화를 나누며 살아야 합니다. 가족, 이웃 간의 대화를 해야 평범한 삶이고, 행복한 삶이 됩니다. 대화는 서로의 생각을 주고받는 것이며, 자신을 타인에게 표현함과 동시에 타인의 생각을 받아들이는 과정이기도 합니다. 대화를 나눈다는 것은 상대방을 내 이웃으로 인정하는 모습입니다. 주위 사람들과 대화를 나누시기를 바랍니다. 내가 이웃으로 인정한다는 것이며, 나도 이웃으로 인정 받는 것입니다.

대화의 단절은 관계의 단절과 같습니다. 단절은 나쁘다는 의미로 받아들이게 됩니다. 왜 나쁘다는 의미로 받아들이게 될까요? 대화의 단절은 고립, 외로움, 우울함을 동반하기 때문입니다. "군중속의 고독"이라는 말이 있습니다. 사람은 많지만 대화를 나눌 사람이 없다는 의미입니다. 대화를 나누지 못하여 고독하다는 것입니다. 그 고독함을 느끼는 사람이 내 주위에 있는지 한번 살펴보시기를 바랍니다. 그리고 그에게 대화를 나누어 주시기 바랍니다. 말 한마디를 건네주는 착한 일을 한번 실천해 보시기 바랍니다.

요즘 주위 사람들의 대화 주제가 무엇인지 한번 생각해 보시기 바랍니다. 정치, 경제, 사회, 회, 문화, 종교 등등의 주제들이 있을 것입니다. 이외에도 개인적인 관심이 있는 분야에 관한 이야기들을 나누고 계실 것입니다. 대화 속에서 나는 어떤 주제를 이야기하고 있는지 되짚어 생각해 보시기 바랍니다. 내가 지금 관심을 두고 있는 주제, 그것을 찾아보시기를 바랍니다. 이 주제가 내게 힘이 되기도 하고, 스트레스가 되기도 합니다. 힘이 되는 주제라면 더욱 에너지를 쓰시고, 스트레스가 되는 주제라면 속히 주제를 바꾸시기를 바랍니다.

인생을 살아가면서 어려운 문제가 다가오면 그 문제를 해결하고자 노력하게 됩니다. 잘 안되면 주위에 도움을 요청하여 해결하고자 합니다. 그마저도 어렵다면, 깊은 고민에 빠지게 됩니다. 이런 경험을 한 번쯤은 해 보았을 것입니다. 문제를 해결 못 하여 어려움에 빠졌던 아픔도 있고, 결정적인 순간에 이웃의 도움을 받아 해결하기도 했던 좋은 기억도 있었을 것입니다. 인생의 모든 문제가 다 해결되면 좋겠지만, 인생이 그렇지 않다는 것은 경험을 통해 알게 됩니다. 그래도 어려운 문제를 스스로 해결할 수 있었을 때 그리고 누군가의 도움을 받아 해결되었을 때 그때는 참 행복한 기억이 남습니다.

인생을 잘사는 방법이 무엇일까요? 한가지 조언을 드리면, 가능하면 내 인생 가운데 주위를 돌아보며 도움이 필요한 사람에게 작은 도움을 나누며 사는 인생을 지향하며 살아가시기를 바랍니다. 스스로 모든 문제를 해결하며 살면 좋겠지만, 인생을 살다 보면 스스로 모든 것을 해결할 수 없다는 진리를 깨닫게 됩니다. 이웃의 도움을 받아서 해결할 수 있는 일들이 있습니다. 내 옆에 좋은 이웃이 있는 이유가 있었다는 사실을 깨닫는 순간, 이 순간이 이웃의 존재 필요성을 깨닫는 순간입니다. 좋은 이웃 옆에서 사시기 바랍니다. 또 좋은 이웃이 되어 주시기 바랍니다.

인생의 문제를 가지고 찾아오는 이들이 있습니다. 누군가 여러분을 찾아온다면 대화를 잘 나누어 주시기 바랍니다. 우울하고, 아픔 마음을 갖고 찾아온 사람에게 조금이라도 편안하게 대해 주시기 바랍니다. 잘 들어 주시고, 마음을 다독이는 따뜻한 말을 전해 주시기 바랍니다. 큰일을 한 것은 아니지만, 중요한 일을 한 것입니다. 작은 힘과 용기에 불어 넣어주는 중요한 일을 한 것입니다. 하루를 살아가면서 이런 작은 선행을 실천해 보시기 바랍니다. 내 주위 사람들의 얼굴에 미소를 만들어 내는 좋은 일을 한번 해 보시기 바랍니다.

오늘 하루 이 낱말을 한번 머릿속에 담고 살아가시기를 바랍니다. '공감'이라는 낱말입니다. 공감의 사전적 의미는 상대방의 감정, 의견, 주장 등에 대하여 자신도 그렇게 생각하는 것을 의미합니다. 즉, 상대방이 내 생각에 맞추는 것이 아니라, 내가 상대방에게 맞추는 것입니다. 우리는 모두 공감의 능력을 갖추고 있습니다. 오늘 하루 공감 능력을 발휘해 보시기 바랍니다. 더불어 함께 살아가는 것이 지혜로운 인생이라는 것에 동의 하시지요? 그렇다면 공감능력을 발휘해 보시기 바랍니다. 오늘 하루 지혜로운 인생의 발자취를 남겨 보시기 바랍니다. 오늘 대화 속에 이런 표현을 한번 사용해 보시지요 "정말 힘드셨지요!", "그 맘! 내가 다 알지요!"

괴로운 일이 생겼을 때

인생을 살아가면서 '마음이 무겁다'라는 표현을 쓸 때가 있습니다. 힘든 일과 어려운 일, 슬픈 일을 만났을 때 사용하는 표현입니다. 한번 지난날을 되짚어 생각해 보시기 바랍니다. 언제, 어떤 일로 내 마음이 무거웠었는지를 살펴보시기를 바랍니다. 그리고 그 일을 어떻게 잘 견디고 지나왔는지를 생각해 보시기 바랍니다.

생각하고 싶지 않은 기억일 수도 있고, 누군가의 도움을 통해 그 시간을 견디어 냈을 수도 있습니다. 하나님께 기도하며 그 시간을 견디어 냈을 수도 있습니다. 분명한 한 가지 사실은 그 모든 시간을 견디어 내고 지금, 이 순간 이 자리에 내가 있다는 것입니다. 지난날의 고통이 아픈 기억으로 남기도 하지만, 그 시련의 시간을 통해 성장한 나와 마주하게 됩니다.

인생에서 마음이 무거워지는 순간을 맞이한다면, 우선 마음을 굳게 잡으시기를 바랍니다. 그리고 내 옆에 있는 사랑하는 사람들과 이 일을 상의하시기 바랍니다. 혼자 해결하려고 하기보다, 사랑하는 사람들의 도움을 받으시기를 바랍니다. 왜냐하면 마음이 무거운 일은 스스로 해결할 수 있는 일이 아닌 경우가 많기 때문입니다. 그리고 하나님께 기도하시기 바랍니다. 간절한 기도는 응답의 결과를 얻게 된다는 것을 성경에서 가르쳐 주고 있습니다.

내 옆에 마음이 무거운 사람이 있다면, 말과 행동으로 도움의 손길을 주시기 바랍니다. 대화를 나누며 그 마음의 어려움을 경청해 주시기 바랍니다. 그리고 위로와 격려를 해주시고, 함께 기도해 주시고, 그 손을 꼭 잡아 주시기 바랍니다. 혼자 감당할 수는 없지만, 함께 감당해 준다면 능히 견디어 나갈 수 있는 일이 될 것입니다.

누구나 고통의 시간을 지나왔고, 지나가고 있고, 앞으로 지나갈 수밖에 없습니다. 그럴 때마다 우리는 마음을 굳게 잡아야 하고, 사랑하는 사람들의 도움을 받아야 하고, 하나님의 선하신 인도하심을 구해야 합니다. 인생길이 꽃길만 펼쳐진 것이 아니라는 사실을 알기에 겸허한 마음으로, 감사한 마음으로 한걸음, 한걸음 발걸음을 내디뎌야 합니다. 이 고통의 시간이 내 인생을 의미 있고, 가치 있게 만들어 준다는 진리를 알기에 오늘도 견디며, 다시 일어서는 용기를 내며 살아갑니다.

위로와 격려를 한다는 것은 누군가의 아픔에 동참한다는 것입니다. 진심을 담은 위로가 그 사람에게 작은 용기를 줍니다. 주위를 둘러보시기를 바랍니다. 그리고 진심을 담아 위로와 격려를 해주시기 바랍니다. 말 한마디, 손을 잡아주는 작은 행동이 위로와 힘이 됩니다. 서로서로 아끼며 보듬어 주는 아름다운 공동체를 만드시기를 바랍니다. 그 속에 내가 있다는 사실을 느끼는 순간, 말할 수 없는 감사와 행복감이 밀려올 것입니다.

서로 돌아보며 사랑과 선행을 실천하시기 바랍니다. 좋은 인생을 산다는 것은 내게 있는 것을 나누며 사는 것입니다. 내 시간과 에너지를 이웃과 함께 나누며 사시기 바랍니다. 함께 대화를 나누고, 함께 일하면서 기쁨과 슬픔을 나누며 살아가는 것, 이것이 좋은 인생이 아닐까요!

절망적인 상황일 때

사람마다 인생관이라는 것이 있습니다. 사전적인 의미에서 인생관은 인생의 본질, 의미, 가치에 관한 총체적 견해를 가리킵니다. 나는 이런 인생을 살겠다고 마음속에 굳게 정한 것이 인생관의 기초가 됩니다. 지금 내게 주어진 인생의 시간을 어떻게 살고 계신가요? 내 마음속에 간직하고 있는 내 인생의 본질과 의미와 가치를 살펴보시기를 바랍니다.

바쁜 인생을 살다가 잠시 멈추어 쉼의 시간을 가질 때 내 인생의 의미를 돌아보게 됩니다. 내가 이렇게 바쁘게 사는 이유는 무엇일까? 이런 힘든 일을 감당하는 이유는 무엇일까? 자연스럽게 내 인생의 본질에 관한 질문을 자신에게 하게 됩니다. 자신에게 하는 이 질문들은 정답이 없을 때가 있습니다. 이럴 때 한가지 꼭 기억해야 할 것이 있습니다. 정답을 찾지 못했다고 흔들리지는 말아야 한다는 것입니다. 시간의 흐름 속에 정답을 찾을 때가 도래할 것입니다.

　모든 사람은 좋은 결과가 주어지기를 바라며 일합니다. 그런데 일을 하다 보면 주위 환경이 좋을 때도 있고, 나쁠 때도 있습니다. 그리고 과정과 결과가 좋을 때도 있고, 나쁠 때도 있습니다. 한가지 우리가 이미 알고 있는 진실이 있습니다. "일의 과정과 결과가 항상 좋을 수는 없다."라는 것입니다. 이 진실을 마음에 꼭 품고 살아가시기를 바랍니다. 일의 과정과 결과가 안 좋을 때 한번 꺼내어 읽어 보시기 바랍니다. "항상 좋을 수는 없지! 그래도 최선을 다했으니 잘했어!" 자신에게 위로와 격려를 해 주시기 바랍니다.

　예전에 방영되었던 드라마 중에 명대사가 있었습니다. 사장님이 직원에게 이렇게 말했습니다. "이것이 최선입니까?" 직원은 사장님의 질문에 조금 당황하였습니다. 최선이라는 낱말을 풀어서 표현하면 "최고의 선택"이라는 말입니다. 이 말을 조금 더 세밀히 표현하면 "주어진 조건 안에서 최고의 선택"이라는 말입니다. 우리가 최선이라고 생각할 때 어떤 조건과 기준에서 내린 선택이었는지를 살펴보아야 합니다. 이것이 진정 최선이었는지? 또 다른 좋은 선택은 없었는지, 주위 환경을 조금 변경하면 더 나은 선택을 할 수는 없었는지 자세히 살펴야 합니다. 지금 최선을 다하며 살고 계신가요? 주위 환경과 내 삶의 기준을 살펴보시기를 바랍니다.

청소년기에 어떤 인생을 살고 싶으셨나요? 지금 어떤 인생을 살고 계신가요? 질문에 답을 해 보시기 바랍니다. 생각한 대로 산다는 것이 쉬운 일이 아님을 인생을 살아가면서 더욱 깨닫게 됩니다. 그럼에도 내 인생을 이렇게 살겠다는 방향을 정하며 살아야 합니다. 방향을 정해야 그 기준에 비추어 내 삶의 모습을 다듬어 갈 수 있기 때문입니다. 사는 대로 생각하는 모습에서 한 단계 업그레이드하시기 바랍니다. 생각한 대로 사는 삶의 모습을 지향하시기 바랍니다. 어렵지만, 인생의 방향을 정하고 그 방향대로 나아가는 성실한 삶을 사시기 바랍니다.

인생의 절망은 누구에게나 부지불식간에 찾아옵니다. 절망이 찾아오면 누구나 쓰러지고 넘어집니다. 인생에 찾아온 고통의 시간을 어떻게 해야 할까요? 다른 답이 없습니다. 인내할 뿐입니다. 소망을 마음에 품고 이 고통의 시간을 견딜 뿐입니다. 시간의 흐름 속에 상황이 변하고, 고통의 시간이 잊히고, 새로운 일을 할 수 있는 기회가 찾아올 것입니다. 그리고 나에게 펼쳐진 좋은 이웃의 손길을 맞잡으시기를 바랍니다. 나를 위로해주고, 격려해주고, 용기에 불어 넣어주는 좋은 이웃의 손길을 받아들이시기를 바랍니다. 좋은 이웃이 내 옆에 있다는 사실을 경험해 보시기 바랍니다. 언젠가 나도 누군가에게 좋은 이웃이 되어주어야겠다는 결심을 마음에 품으시기를 바랍니다.

인생에서 가장 힘든 감정 중 하나가 "외로움"입니다. 남녀노소를 불문하고 "외로움"은 혼자 이겨내기 힘든 감정입니다. 스스로 외롭다 느낄 때 그때가 인생에서 가장 위험한 순간입니다. 어둠 속에서 혼자 서 있는 것 같은 느낌, 그런 느낌이 들게 될 때 해야 할 일이 있습니다. 서 있지 말고 눕는 것입니다. 이 말은 외로움의 감정을 배제하려고 노력하기보다, 외로움 그 자체를 받아들이라는 말입니다. 지금 내가 외로운 상태라는 것을 인정하고, 이제 내가 어떻게 하면 될까? 다음 해결 방법을 향해 생각의 한 걸음을 내딛는 것입니다. 내가 생각하는 가장 가까운 사람을 찾으시기를 바랍니다. 그다음 가까운 사람을 찾으시기를 바랍니다. 이렇게 자신과 가장 가까운 사람들을 찾으면서 내 옆에 좋은 이웃이 있음을 인지하시기 바랍니다. 무엇보다 신앙 안에서 하나님이 나와 함께 하신다는 믿음을 그 마음에 품으시기를 바랍니다. 외로움의 감정이 눈이 녹듯 사라지는 경험을 하게 될 것입니다.

이웃을 향해 따뜻한 손을 내미는 삶, 이런 삶을 사시기 바랍니다. 축복의 말 한마디, 작은 도움의 손길, 위로와 격려의 박수 등등 작지만, 우리의 삶에 힘이 되어 주고 소소한 행복을 주는 일들을 실천하며 사시기 바랍니다. 누구나 할 수 있는 일이지만, 아무나 하지 않는 그 일을 하시기 바랍니다.

더 이상 버틸 힘이 없을 때

인생은 이기며 사는 것일까? 견디며 사는 것일까? 누군가 내게
질문을 한다면 나는 견디며 사는 것이라 대답할 것입니다. 인생은
자신이 져야 할 짐을 지고 가는 것이기에 그렇다고 생각합니다.
그것이 자신일 수도 있고, 가족일 수도 있고, 이웃을 수도 있고, 질
병일 수도 있고, 아픈 과거일 수도 있습니다. 져야 할 짐, 그 짐의
무게가 생각보다 무거울 수 있습니다. 그 무거운 짐에 또 하나의
작은 짐어 얹어질 때 그때가 버티기 힘들 때라 생각합니다.

또 하나의 작은 짐이 얹어질 때는 잠시 쉬어야 합니다. 눈을 감
고, 바닥에 누워 심호흡하며 잠시 편안한 자세를 취해 봅니다. 그
리고 다시 일어나 작은 짐 하나가 더 얹어진 인생의 무게를 져 올
리며 또 한 걸음 한 걸음 내딛습니다. 인생에서 잠시의 쉼은 인생

의 무게를 지고 가는 사람에게 꼭 필요한 시간입니다. 잠시 쉼의 시간을 꼭 가지시기 바랍니다. 그리고 하나 더 얹힌 짐의 무게를 견디어 내시기 바랍니다.

인생의 무거운 짐들은 시간이 지나가면서 없어지기도 하고, 더해지기도 합니다. 없어질 때는 가벼울 때고, 더해질 때는 무거워질 때입니다. 오랜 인생길을 걸어오신 분들의 이야기를 들어보면, 고비고비를 잘 넘기면 된다는 말씀을 하십니다. 그 말씀에 인생의 진리가 담겨 있습니다. 인생에는 고비가 있습니다. 그래서 그 고비가 다가올 때가 가장 힘들고 어려울 때입니다, 그때를 잘 견디어야 합니다. 자신의 힘으로 견디기도 하고, 이웃의 격려의 말 한마디가 큰 힘이 됩니다. 그리고 이웃의 작은 도움 하나가 이 고비를 견디게 만들기도 합니다.

무엇보다 고비고비를 잘 견디게 하여 주는 것은 사랑하는 사람이 내 곁에 있다는 것을 아는 것입니다. 남편과 아내, 자녀들 그리고 사랑하는 부모님이 계시기에 견디어 낼 수 있는 것입니다. 원망과 미움보다 이해와 용납의 관점을 가지시기 바랍니다. 그래야 가족이 내 힘과 용기가 되어줍니다. 가족을 내 힘과 용기로 만드는 것은 나의 선택과 결정에 달려 있습니다. 서운함을 떨쳐버리고, 상처받은 과거를 과거로 놓아두기를 바랍니다. 과거에 발목을 잡히지 말고, 현재와 미래를 내다보며 더 나은 선택과 결정을 내리며 살아가시기를 바랍니다.

"힘들지! 그래도 힘내자!" 곱씹어 읽어보면 말이 안 되는 말입니다. 그런데 이 말이 인생의 무거운 짐을 지고 가면서 고비가 닥쳐올 때 내 눈에 눈물이 쏟아지게 만듭니다. 공감, 그리고 희망이 이 말에 담겨 있기 때문입니다. "힘들지!" 내 마음을 알아주는 한마디 말, "그래도 힘내자!", "우리 함께"라는 행간의 낱말을 읽어 들이며 위로와 격려를 느끼게 되는 말이기 때문입니다.

한번 주위의 분들에게 말 한마디 해주시기 바랍니다. "힘드시지요! 무엇을 좀 도와드릴까요? 차 한 잔 드시고 하세요. 밥 한번 먹읍시다"등등의 공감과 잠시 쉼의 시간을 주는 말 한 마디를 건네 보시기 바랍니다. 이 말 한 마디가 상대방에게 작은 힘과 용기를 얻게 합니다. 이 작은 힘이 고비고비를 넘기게 하는 큰 힘이 되어줍니다. 손 한 번 붙잡아 주었을뿐인데, 그 한번이 한 사람의 미래의 방향을 바꾸어 줍니다. 주위를 돌아보시기를 바랍니다. 손 한 번 잡아 주시기 바랍니다. 한번 안아 주시기를 바랍니다. 그리고 토닥토닥해 주시기 바랍니다. 모든 고비를 넘기는 큰 힘이 됩니다.

한계의 순간을 경험해 본 사람들이 하는 공통된 말은 "그 고비만 잘 넘기면 된다"라는 것입니다. 동굴과 터널의 차이점은 막혀있느냐, 뚫려 있느냐입니다. 어른들의 말씀은 인생의 터널은 항상 끝이 있다는 것입니다. 고비를 잘 견디고 넘어가면 좋은 일이 있다는 것입니다. 희망입니다. 절망이 다가왔을 때 희망을 바라보시기를 바랍니다. 작은 불빛 하나도 보이지 않을 때가 있습니다.   어두운 길, 그래도 한걸음, 한 걸음 나아가시기를 바랍니다. 작은 불빛이 보이면, 또 한 걸음, 한 걸음 나아가시기를 바랍니다. 그 한걸음이 더해지면서 터널의 끝에 다다르게 됩니다. 인생의 터널에 끝이 있음을 명심하시기 바랍니다.

우리 주위에는 좋은 사람들이 많이 있습니다. 그들이 있기에 인생이 살맛이 납니다. 나도 그들에게 좋은 사람이 되어주려고 노력하며 사는 것, 그것이 행복한 인생을 살아가는 좋은 방향입니다. 하나님은 내 주변에 좋은 사람들을 주셨습니다. 그들과 함께 인생길을 걸어가시기를 바랍니다. 인생길에 좋은 동행자를 만난다는 것은 축복입니다. 좋은 가치와 의미 있는 일을 함께하면서 살아간다는 것은 건강한 인생을 살아가는 첩경입니다. 지금부터 내 주위의 좋은 사람들과 함께 시작하시기 바랍니다.

믿음과 신앙이 있는 삶

"어떤 인생을 살고 싶으신가요?"라는 질문을 누군가 내게 한다고 가정해 보시기 바랍니다. 이 질문에 대해서 나는 어떤 대답을 할 수 있을까요? 한번 깊이 생각해 보시기 바랍니다. 유한한 내 인생의 시간 속에서 나는 어떤 삶을 지향하며 살고 있는가? 인생 길에서 가끔은 삶을 돌아보며 지나온 발자취를 정리하는 시간이 필요합니다. 자기성찰의 시간을 통해서 지금 내가 어느 방향으로 나아가고 있는지를 점검해야 합니다.

살아온 날보다 살아갈 날이 적다는 것이 느껴진다면 더욱 인생의 의미에 대해서 생각하며 살아야 합니다. 오랜 삶의 경험을 통해 남은 시간을 의미 있게, 가치 있게 사용하는 지혜를 발휘해야 합니다. 인생의 마지막 순간에 후회하지 않으려면, 지금, 오늘 내가 해야 할 일을 하며 살아야 합니다. 무엇을 해야 할까요? 우선 나를 칭찬해 주시기 바랍니다. 험난한 세월을 잘 견디어온 내 육체와 내 자아를 칭찬해 주시기 바랍니다. "잘해왔어, 잘하고 있어, 잘할 거야"

그런 후에는 가족 각자의 소중함을 기록해 보시기 바랍니다. 아내와 남편이 있어 좋은 점을 기록해 보시기 바랍니다. 아들과 딸이 있어서 내 삶에 어떤 의미와 가치가 있는지 기록해 보시고, 자녀의 어깨를 토닥여 주시기 바랍니다. 부모님의 주름진 얼굴을 마주 보며, 함께 식사의 시간을 가져 보시기 바랍니다. "사랑해요, 사랑한다, 사랑합니다."라는 말을 표현해 보시기 바랍니다.

조금 더 나아간다면, 친구와 이웃에게 밝은 미소를 선사해 주시기 바랍니다. 작은 미소는 이웃의 마음을 따뜻하게 만듭니다. 이웃과 소통하며 사시기 바랍니다. 소통하며 산다는 것은 만남 속에서 인사를 나누며, 담소를 나누며, 필요한 일이 있을 때 서로 도와주며 사는 것입니다. 이웃사촌이라는 좋은 말을 내 인생 가운데 실천해 보시기 바랍니다.

"내 인생의 구심점이 무엇일까요?" 내 마음의 중심에 무엇이 있어야 하는지에 관한 질문입니다. 잠언9:10절에 보면 "여호와를 경외하는 것이 지혜의 근본이요, 거룩하신 자를 아는 것이 명철이니라"라고 기록하고 있습니다. 영원하신 신 하나님이 내 안에, 내 중심에 계시는 인생을 사시기 바랍니다. 유한한 인생을 살아가는 내가, 영원하신 하나님을 마음에 품고 산다는 것의 의미를 깊이 묵상해 보시기 바랍니다.

신앙이란 유한한 존재에서 무한한 존재로 이끌림을 받는 것입니다. 하나님이 그 길을 만드셨습니다. 하나님이 이 땅에 보내신 구원자, 예수 그리스도를 믿고 그 믿음 안에서 살아가시기를 바랍니다. 이 길의 끝에 구원의 소망이 있습니다. 예배의 시간은 이 구원의 소망을 바라보는 시간입니다. 예배의 자리로 나아가시기를 바랍니다.

신앙이 있는 삶을 살아가시기를 바랍니다. 내 존재의 의미와 내삶의 의미와 내가 해야 할 일에 대한 올바른 깨달음을 얻게 됩니다. 이 신앙을 바탕으로 인생길을 걸어가시기를 바랍니다. 좋은 사람들을 만나게 될 것입니다. 하나님의 선하신 인도하심을 경험하게될 것입니다. 시련과 역경이 다가와도 능히 견디고 이겨낼 것입니다. 결국 구원의 소망을 얻게 될 것입니다. 후회함이 없는 인생을 살았다고 고백하는 인생의 마지막 순간, 영원한 생명을 얻게 될 것입니다.

믿음과 신앙이 있는 삶, 우리가 살아야 하는 좋은 모습입니다. 이 좋은 모습을 우리의 자녀들에게 제자들에게 보여주시기를 바랍니다. 인생의 배움은 말과 행동에 있습니다. 말로만 하기보다, 삶으로 보여줄 때 더 큰 영향력을 발휘합니다. 본을 보이는 삶, 신앙인의 이름다운 삶을 보여주시기를 바랍니다. 그러면 다음 세대가 그것을 보고 그들도 그런 이름다운 삶을 지향하며 살 것입니다. 오늘 내가 어떤 삶을 사느냐 이것이 나에게도, 내 가족에게도 영향력이 있는 사실을 늘 인지하며, 좋은 말과 의미 있는 행동을 하며 살아가시기를 바랍니다.

'언제 가장 행복했습니까?'

"인생에서 언제 가장 행복하셨나요?" 이 질문을 받게 되면 대부분의 사람이 언제 행복했을까 회상을 하게 됩니다. 과거의 기억을 하나하나 열어보면서 이때가 행복했지, 저 때도 행복했고, 지나온 발자취 속에서 행복했었던 기억을 소환하며 미소를 짓게 됩니다. 가만히 생각해 보면 우리 인생 곳곳에 행복이 있었습니다. 지금은 그것을 잊고 살아서 얼굴에 미소가 사라진 것일 뿐입니다.

"지금 행복하신가요?" 이 질문을 듣는 사람의 표정과 대답의 속도에서 그 사람의 현재 상황을 파악할 수 있습니다. 얼굴에 미소를 짓고, '네'라고 대답하는 속도가 빠른 사람은 지금 행복한 사람입니다. 그런데 얼굴에 미소는 없고, 조금 생각한 후에 '네'라고 대답하는 사람은 지금 행복한지에 대한 확신이 없는 사람입니다. 얼

굴에 미소가 없고, 대답을 오래 하지 못하는 사람은 "아니오"라고
답하게 됩니다. 지금, 그 사람은 불행 속에 빠진 사람입니다.

"불행 속에 빠진 사람을 보면 어떻게 해야 할까요?" 그 사람은
우리의 가까운 친구나 이웃일 것입니다. 그 사람을 위해 우리가 해
줄 수 있는 일은 심리적 지지를 해주는 일입니다. 함께 식사의 시
간을 갖고, 차를 마시며 자신의 어려움을 이야기할 수 있는 기회를
얻게 해 주는 것입니다. 작은 도움의 손길이 필요한 부분에 도움을
주는 것입니다. 어려운 시간을 견디어 나가는 사람들에게 따뜻한
손길을 내밀어 주시기 바랍니다. 그것은 우리가 모두 해야 하는 선
한 일입니다.

"나는 언제 행복했을까?" 자신에게 질문해 보시기 바랍니다. 행
복했던 순간들을 기록해 보시기 바랍니다. 기록할 것이 많다면, 그
기록을 보며 행복한 시간을 마음껏 누리시기 바랍니다. 기록할 것
이 없다면, 너무 불편해하지 마시기 바랍니다. 지금부터 나 자신의
행복을 만들어 가시기 바랍니다. 출발선과 기준선을 만들었다고 생
각하시고, 지금부터 나에게 행복한 시간을 만드는 일을 하시기 바
랍니다. 내가 행복해야 그 에너지를 다른 사람들에게 나누어줄 수
가 있습니다. "나의 행복은 곧 이웃의 행복이다. 그리고 이웃의
행복이 곧 나의 기쁨이다"라고 생각하시기 바랍니다.

이타주의적인 삶을 살다 보면, 자신을 놓치는 경우가 있습니다.

나를 위한 작은 사치를 하시기 바랍니다. 나를 위해 무엇인가를 한다는 것이, 나를 위로하고 격려하는 일이 된다는 것을 경험하시기 바랍니다. 그래야 인생에서 후회함을 줄여갈 수 있고, 하지 않을 수 있습니다. 인생에서 후회함이 없는 멋진 인생을 만들어 가시기 바랍니다. 이타주의를 실천하는 삶이 멋진 삶으로 남도록, 자신만을 위한 행복을 찾으시기를 바랍니다.

자신의 희생을 통해 가족의 행복을 만들려고 하지 마시기 바랍니다. 그 희생이 값진 것임에는 의심의 여지가 없습니다. 하지만 그 희생으로 영원한 이별을 하게 된다면, 남아있는 가족은 행복하지 않습니다. 자기 몸과 마음을 돌보며 최선을 다하시기를 바랍니다. 말처럼 되지 않음에도 이렇게 말하는 것은 조건 없는 희생이 진정한 행복을 만들지 않기 때문입니다. 오랜 시간 서로 바라보며 미소를 지으며 사는 행복을 꿈꾸시기를 바랍니다.

오늘 행복하시기 바랍니다. 우리의 삶은 늘 오늘입니다. 아침에 눈을 떠보면 오늘입니다. 오늘 하루, 이 하루를 행복하게 사시기 바랍니다. 사람들을 미소로 대하고, 좋은 말을 건네며, 함께 더불어 살아가는 행복을 만들어 가시기 바랍니다. 오늘을 잘사는 것이 인생을 잘사는 것임을 알기에, 오늘 하루 행복해야 합니다.

더 나은 나, 더 나은 당신

훌륭한 인생이란 무엇일까요? 우선 "훌륭하다"라는 낱말의 의미를 알아야 합니다. 사전적 의미에는 "칭찬할 만큼 뛰어나고 대단한 것"이라고 설명하고 있습니다. 사람들에게 칭찬받을 만한 뛰어나고 대단한 일이 무엇일까요? 아마 "열심히", "최선을 다하여", "이웃을 위해서"라는 표현들이 붙은 일일 것입니다. 나를 위한 일이기보다. 이웃을 위한 일, 대충 하는 것이 아니라 열심히, 최선을 다하여 하는 일에 붙는 것이 칭찬입니다. "잘했어!", "훌륭해!", "아주 좋아!"

오늘 칭찬받을 만한 일을 하셨나요? 이 질문을 다르게 표현하면 "오늘 열심히, 최선을 다하여 맡겨진 일을 하셨나요?"라는 표현으로 바꿀 수 있습니다. 늘 최선을 다하려고 노력하는 모습, 이런 모습이 우리 각자의 모습이 되어야 합니다. 완벽할 수는 없지만, 완벽을 지향하며 최선을 다해야 합니다. 나의 부족한 부분은 내 옆에 있는 이웃이 채워줍니다. 그러니 걱정할 필요가 없습니다. 내가 할 수 있는 최선을 다하다 보면 언젠가 좋은 결과를 만나게 됩니다.

오늘 누군가의 얼굴에 미소 짓게 만드는 좋은 일 하나를 실천해 보시기 바랍니다. 그 사람이 필요로 하는 일을 생각해 보시기 바랍니다. 소소하고 작지만, 미소를 만들 수 있는 일해 보시기 바랍니다. 아마, 둘 중 하나의 결과가 나올 것입니다. 예상이 맞아떨어지는 행복한 경우와 별 반응이 없는 경우입니다. 성공과 실패라는 낱말이 떠오르게 되지만, 그래도 생각하고 시도해 보았다는 것이 자산이 됩니다. 몇 번 반복하다 보면, 감을 잡게 됩니다. 감을 잡으면 연타로 미소를 짓게 만드는 능력을 발휘하게 됩니다. 누군가의 얼굴에 미소를 짓게 만드는 일은 참 좋은 일입니다. 이 좋은 일을 꼭 해보시기 바랍니다.

어제보다는 오늘이, 오늘보다는 내일이 더 나은 삶을 살아야 합니다. 이런 바람과 소망이 우리 안에 있지만, 현실의 삶은 그렇게 녹록지 않은 것이 사실입니다. 그럼에도 불구하고 우상향의 삶을 지향하시기 바랍니다. 나이를 먹어가고, 인생의 식견이 넓어지고, 깊어지면서 좁게 보기보다, 넓게 보고, 깊게 보려고 노력하시기 바랍니다. 그래야 오해를 피하고, 이해하게 됩니다. 어른이 오해를 하면 참 난감합니다. 하지만 어른이 이해해 주시면, 일이 잘 풀립니다. 인생의 연륜과 넓은 마음을 이해해 주는 좋은 어른이 되어 주시기 바랍니다.

어릴 적 누구나 시소를 타본 적이 있습니다. 양쪽에 앉아서 오르락 내리락하면서 타고 노는 놀이기구입니다. 이 놀이기구를 잘 타려면 양쪽의 몸무게가 비슷해야 합니다. 사람의 숫자나, 앉는 자리를 바꾸며 무게 중심을 맞춥니다. 그러면 아이와 어른이 함께 탈 수도 있습니다. 잘 생각해 보면 인생의 모든 문제는 이것 아니면, 저것이라는 해결책을 찾기 보다, 조화와 조율의 문제로 바라보며 해결하는 것이 더 좋은 방법임을 깨닫게 됩니다. 무게 중심을 찾는 노력을 해 보시기 바랍니다. 그러면 조화와 조율이 얼마나 좋은 해결 방법인지를 깨닫게 될 것입니다.

인간관계에서 보이지 않은 벽이 많이 있습니다. 가능하면 이 벽을 낮추거나 없애시기를 바랍니다. 그래야 이웃과 소통할 수 있습니다. 이 보이지 않은 벽은 내가 쌓은 것일 수도 있고, 이웃이 쌓은 것일 수도 있습니다. 내가 쌓은 것이면 내가 없애야 합니다. 이웃이 쌓은 것이면, 권면하고 권면해서 함께 그 벽을 낮추거나 없애도록 도와주어야 합니다. 보이지 않은 벽이 없어야 소통에 문제가 발생하지 않습니다. 소통에 문제가 발생하면 오해가 만들어지고, 갈등이 생겨납니다. 갈등의 골이 깊어지면 보이지 않는 인간관계의 벽이 다시 생겨납니다. 악순환의 고리 속에서 벗어나시기를 바랍니다. 선순환의 구조로 바꾸시기를 바랍니다. 결단이 필요합니다.

내 앞에 사람이 서 있습니다. 그 사람 앞에는 내가 서 있습니다. 누가 먼저 미소를 지어야 할까요? 내가 먼저 미소를 지으시기를 바랍니다. 미소는 메아리 현상을 만들어 냅니다. 오고 가는 미소 속에서 서로에 대한 작은 신뢰가 생겨나고, 그 작은 신뢰들이 쌓여서 소통과 협력을 만들어 냅니다. 따뜻한 말 한마디, 미소 짓는 표정 하나가 내 삶의 이미지를 만들어 갑니다. 지금, 오늘 하루가 내 삶에 가장 중요한 날입니다. 중요한 날 중요한 일을 하시기 바랍니다. 그 중요한 일은 가장 작은 일부터 시작됩니다. 무엇인지 아시지요? 그 작고 소소한 일을 하시기 바랍니다. "내 앞에 있는 당신, 참 멋지십니다! 아름답습니다!"

4부

글 속에 담긴 삶의 지혜 실천하기

그 '좋은 말'을 어떻게 찾았을까?

우리의 인생을 두 가지로 나눌 수 있습니다. 행복한 인생과 불행한 인생입니다. 두 가지 중 어느 것이 내 인생이 되었으면 좋을까요? 질문 자체가 아주 단순합니다. 그래서 단순하게 대답해 보시기 바랍니다. 제 예측으로는 행복한 인생이 될 것으로 생각합니다.

다음 질문을 한 가지 더 해보겠습니다. 언제 행복했으면 좋을까요? 과거, 현재, 미래 셋 중에서 하나를 선택해 보세요. 그리고 시간의 개념이 행복이라는 것을 어떻게 정의 하는지 생각해 보시기 바랍니다.

첫 번째, 과거를 선택했다면, 이런 말을 할 것입니다. "내 인생이 행복했었다." 이 말은 과거에 행복했는데 현재와 미래는 "그렇지 않다 혹은 모르겠다"라는 의미를 담고 있습니다.

두 번째. 현재를 선택했다면, 이런 말을 할 것입니다. "내 인생이 행복하다." 이 말은 현재 내 인생은 행복 그 자체라는 말입니다. "과거에는 불행했지만, 지금은 아니다"라는 말이거나 "과거에도 행복하고 지금도 행복하다"라는 말의 의미를 담고 있습니다. 그리고 "미래에도 행복하고 싶다"라는 소망을 담고 있습니다.

세 번째, 미래를 선택했다면, 이런 말을 할 것입니다. "내 인생이 행복해지고 싶다" 이 말은 현재 "내가 행복하지 않다"라는 의미를 담고 있습니다. 만약 행복하다면 "더 행복해지고 싶다"라는 소망을 담고 있는 말이 됩니다.

우리는 모두 행복한 인생을 살고 싶은 소망을 마음에 품고 살아가고 있습니다. 과거에 행복했고, 현재도 행복하고, 미래에는 더 행복한 인생을 꿈꾸며 살고 있습니다. 바라기는 인생 그래프가 우상향하는 그런 인생을 살아가시기를 소망합니다. 행복으로 점철된 인생을 살아가시기를 바랍니다.

그런데 우리의 인생이 행복으로만 구성되어 있지 않다는 것입니다. 불행도 우리 인생의 한 부분이라는 것입니다. 불행은 내가 원치 않는 일들이 내 삶에 나타나는 현상을 말합니다. 아픔, 상처, 좌절, 절망, 갈등 등등의 감정들이 다가올 때 우리는 불행이라는 감정을 느낍니다. 이 불행이라는 감정의 강도에 따라 우리의 인생이 흔들리기도 하고, 쓰러지기도 합니다.

내 인생에서 불행을 어떻게 잘 조절하며 살아야 할까요? 불행은 예고하고 오기도 하지만, 대부분 예고 없이 우리의 삶에 다가옵니다. 준비하고 대비해도 막을 수 없는 경우가 훨씬 더 많습니다. 어떻게 해야 할까요? 이 질문을 부모님에게 해 보시기 바랍니다. 인생의 선배들에게 해 보시기 바랍니다. 그러면 나름 좋은 답을 주실 것입니다. 저의 짧은 소견으로 보면 내 힘으로 해결할 수 없기에 이웃의 도움을 받아야 합니다. 인간의 힘으로 해결할 수 없기에 하나님의 도우심을 구해야 합니다.

불행을 통해 소중한 이웃을 만나게 됩니다. 불행을 통해 하나님께 기도하게 됩니다. 불행이 내 인생에 아주 쓸모없는 것이 아님을 인지하며, 이 고통과 슬픔과 아픔의 시간을 내 인생의 좋은 밑거름으로 삼고자 하는 마음을 갖는 것이 중요합니다.

인생의 쓴맛을 경험하면서 우리는 성장하고 성숙하는 계기를 마련하게 됩니다. 아파본 사람이 아픈 사람의 심정을 압니다. 고통을 당해본 사람이 고통당하는 사람의 마음을 공감합니다. 그래서 불행의 그 자체만을 보기보다, 불행을 통해 인생을 바라보는 시간을 배우는 계기로 삼으시기를 바랍니다.

우리 주변에 위로와 격려를 잘하는 사람들을 만나게 됩니다. 그런 사람들을 보면 우리 생각 속에 갖게 되는 관념이 있습니다. "이 사람들은 평탄하고 안정된 삶을 살았겠다"라는 생각입니다. 물론 그럴 수도 있습니다. 하지만, 대부분은 그 고통과 아픔의 시간을 지나왔기에 진심으로 타인을 위로하고 격려할 수 있는 것입니다. 경험해 본 사람과 경험해 보지 않은 사람은 다릅니다.

인생의 연륜은 시간 속에서 얻는 좋은 열매입니다. 이 열매는 행복을 통해 얻을 수 있고, 불행을 통해 얻을 수도 있습니다. 행복과 불행 둘 중에 행복이 좋은 것은 사실입니다. 하지만 불행도 내 인생에 약이 된다는 사실을 인식하고 받아들인다면, 성숙한 인생을 살아갈 힘을 갖게 됩니다.

바라기는 삶에서 인생의 연륜을 보여 주시기 바랍니다. 상처받은 사람들의 마음을 위로해 주고 격려해주시기 바랍니다. 역지사지의 마음을 가지고 존중과 배려를 실천하시기 바랍니다. 나만 바라보는 시각에서 타인을 바라볼 줄 아는 성숙함으로 나아가시기를 바랍니다. 인생의 연륜은 말과 행동으로 나타납니다. 인생의 연륜을 보여주시기를 바랍니다. 그러면 가정이 평안하고, 공동체가 평안하고 행복할 것입니다.

스토리텔링(Story Telling)과 스토리두잉(Story Doing)

    스토리텔링은 알리고자 하는 바를 단어, 이미지, 소리를 통해 사건과 이야기로 전달하는 것을 말합니다. 축적된 정보를 주제와 본래의 목적에 맞게 다양한 매체를 이용하여 하나의 사건을 가진 이야기를 전달하는 것입니다. 플롯(plot), 캐릭터(character), 그리고 시점(time line 또는 Time point)이 포함됩니다.

    스토리텔링을 잘하는 사람은 자신이 전달하고자 하는 주제를 상대방이 아주 잘 알 수 있도록 원인과 결과를 인물과 시점에 맞추어 잘 설명합니다. 옛날 어른들이 구전으로 내려오는 이야기를 아이들에게 들려줄 때, 궁금함을 자아내며 이야기를 들려주셨던 것처럼 흥미진진하게 전달하는 것입니다.

스토리텔링을 통해 명확히 주제에 대해 이해하게 됩니다. 주제와 방향을 알게 되면 생각하게 됩니다. 생각이 진일보하여 실천할 수 있는 과제를 선정하게 됩니다. 그 과제를 실천하면서 스토리텔링은 그 목적을 이루게 됩니다. 이야기를 들려준 목적이 이루어질 때, 나의 목적도 함께 이루어집니다.

지금 어떤 스토리텔링을 하고 계신가요? 다르게 표현해서 나는 사람들에게 어떤 이야기를 하고 있나요? 어떤 이야기를 하고 싶으신가요? 곰곰이 자신을 들여다보시기를 바랍니다. 내가 하고 싶은 말, 내가 하고 싶은 일, 내가 추구하는 삶의 방향에 관해서 이야기를 시작해 보시기 바랍니다. 스토리텔링의 시작점은 나입니다. 내 이야기해 보시기 바랍니다. 남의 이야기는 그다음에 하시기 바랍니다.

한사람, 한사람이 서로의 뜻과 의지를 확인하면서 동지[(同志)]가 됩니다. 뜻을 같이하는 동지가 늘어나면서 새로운 일을 시작하게 됩니다. 새로운 일이 시작되면 변화가 시작되는 것입니다. 시대의 변화를 살펴보시기를 바랍니다. 지금 우리가 살아가고 있는 시대는 매일매일 빠르게 변화하고 있습니다. 변화를 두려워하기보다, 변화의 방향성을 내다보며 변화를 주도해 나가시기 바랍니다. 혼자보다 함께 하는 변화의 물결을 만들어 보시기 바랍니다. 변화는 내가 변하는 것이기도 하지만, 우리가 모두 변해야 완성이 되는 것입니다.

스토리두잉은 함께 실천하면서 만들어지는 공동체의 문화입니다. 지금 내가 속한 공동체의 문화는 어떠한지 한번 살펴보시기를 바랍니다. 서로가 잘 연결되어 있는지, 서로가 따로따로 떨어져 있는지 한 번만 살펴보면 답이 나옵니다. 서로 잘 연결되어 있다면 미래가 있습니다. 서로 따로따로 떨어져 있다면 가능성이 있습니다.

미래가 있다는 것과 가능성이 있다는 것, 이 둘 중에 어느 것이 마음에 드시는지요? 미래가 있다는 것은 지금 방향으로 쭉 나아가면 된다는 의미를 담고 있습니다. 방향성을 제대로 잡고 있다는 말입니다. 가능성이 있다는 것은 전환 할 수 있다는 것입니다. 방향성의 반대로 하면 된다는 말입니다. 지금 우리의 모습을 문제로 받아들일 수도 있습니다. 하지만 문제로 받아들이기보다, 방향성으로 생각해 보시기 바랍니다. 이 방향으로 가는 것이 미래를 보장할 수 있는가?

스토리두잉은 공동체가 함께 움직이는 방향입니다. 성경에서 가르쳐주는 하나님 사랑과 이웃사랑의 두 가지 큰 계명이 떠올려 보시기 바랍니다. 이 두 가지 계명을 통해 방향성으로 찾으시기를 바랍니다. 믿음과 사랑을 근간으로 해서 자기 삶을 만들어 가시기 바랍니다. 믿음과 사랑을 근간으로 해서 공동체의 방향성을 잡으시기를 바랍니다. 스토리두잉을 실천하는 공동체를 지향하시기 바랍니다.

나의 존재 이유, 공동체의 존재 이유에 대한 의미를 찾아보시기를 바랍니다. 내가 이곳에 머무는 이유, 지금 내가 하는 일의 명분을 찾아보시기를 바랍니다. 명확한 이유와 명분을 찾아야 힘을 낼 수 있습니다. 힘을 내면 일하게 됩니다. 나를 위해서, 공동체를 위해서 일을 하게 되면 좋은 결과를 만들어 마주하게 됩니다. 혹, 좋은 성과가 아닐지라도, 또 다른 도전을 위한 발판 정도는 만들게 됩니다.

　새로움을 지향하며 나아가시기를 바랍니다. 나에게 주어지는 시간이 늘 새로운 시간이듯이, 내 삶의 하루하루 동안 새로운 변화를 조금씩 만들어 가며 살아가시기를 바랍니다. 나비효과라는 말처럼 작은 변화가 큰 기적을 만드는 일을 경험해 보시기 바랍니다. 혼자가 아닌 함께, 내 뜻만이 아닌 모두의 뜻을 지향하며...

이타적 동기와 목표

우리는 성장과 성숙이라는 두 가지 관점을 지향하며 살아가고 있습니다. 눈에 보이는 육체적인 성장과 구체적인 결과 등을 성장이라고 합니다. 눈에 보이지 않지만, 내적으로 성장하는 것과 가치의 증가를 성숙이라고 합니다. 우리의 삶에서 성장과 성숙은 우상향으로 늘 진행되어야 합니다.

성장과 성숙을 통해 우리가 이루고자 하는 가치가 있습니다. 이기주의적인 나에게서 이타주의적인 나로 변화되는 것입니다. 이기주의는 자신만을 생각하는 관점입니다. 그래서 나쁜 의미로 사용되는 경우가 종종 있습니다. 자신의 관점에서만 선택과 결정을 내리기 때문에 이에 따라 타인이 피해를 입게 되는 일이 발생하기 때문일 것입니다. 그런데 잘 살펴보면 인간이 가지고 있는 가장 기본적인 본성이라는 것을 알 수 있습니다.

인간은 기본적인 본성으로만 살아가서는 안 됩니다. 성장하고 성숙해져야 합니다. 기본적인 본성인 이기주의만 가지고 살아가면, 갈등과 다툼이 끊이지 않는 삶을 살수 밖에 없습니다. 불행한 삶을 살고 싶으신가요? 그렇지 않으실 것입니다. 그러므로 우리는 이기주의에서 시작해서 이타주의로 나아가야 합니다. 이기주의를 버리고, 이타주의를 취해야 한다는 말이라기보다, 이기주의에 머물지 말고 이타주의라는 더 큰 영역으로 나아가라는 말입니다. 즉, 마음의 영역을 넓히라는 것입니다.

사람의 본성을 버릴 수는 없습니다. 버린다고 버려지는 것도 아닙니다. 이기주의에 머물지 말고, 이타주의라는 영역으로 나아가시기를 바랍니다. 자신도 소중하고, 이웃도 소중하다는 가치를 마음에 품고 사시기 바랍니다. 내 가족이 소중하다는 가치를 잘 살펴보면서 역지사지의 마음으로 이웃을 바라보시기를 바랍니다. 저 사람도 자기 가족을 소중히 여기는 사람이라는 사실을 직시하시기 바랍니다. 그러면 내 마음과 상대방의 마음이 같다는 것을 깨닫게 됩니다. 이기주의를 벗어나, 이타주의로 나아가는 경험을 하시기 바랍니다.

어른이 되어 가면서 꼭 품어야 하는 생각의 관점이 있습니다. "나도 좋고, 이웃도 좋은 선택과 결정은 무엇일까?" 이 질문을 자신에게 늘 하시기 바랍니다. 그래야 어른다운 말과 행동을 보이며 살아갈 수 있습니다. 그로 인해 주위 사람들이 존경하는 어른이 되어 가게 됩니다. 이 시대에 존경할 만한 어른이 잘 보이지 않습니다. 배운 사람으로 올바른 삶의 본의 보여주는 어른들이 없는 것 같습니다. 없는 것이 아니라 적은 것일 겁니다. 너무 적어서 안 보이는 그것으로 생각합니다. 이 글을 읽는 여러분이 존경받을 만한 어른이 되어 주시기 바랍니다. 이타주의적인 성숙한 삶의 모습을 보여주시기를 바랍니다.

어른이 되어 가면서 이런 질문도 해 보시기 바랍니다. "이웃에게 유익함이 있다면, 나는 손해를 감수할 수 있는가?" 여기서 손해라는 의미는 나에게 이득이 되지 않는다는 의미로 보시기 바랍니다. 나에게 이득이 없고, 이웃에게만 유익한 일을 할 수 있는가? 어른은 그렇게 할 수 있는 사람입니다. 눈앞에 있는 것만 보는 것이 아니라, 눈에 보이지 않는 미래를 볼 수 있는 사람이 되는 것입니다. 시간의 흐름 속에서 이웃의 유익함이 나에게도 유익하다는 결과를 경험하게 될 것입니다.

자신이 속한 공동체에서 어른이 되어 주시기 바랍니다. 조금 손해를 감수할 줄 알고, 남을 도울 수 있는 여유로운 마음을 나타내며, 함께 일하는 동료들에게 심리적인 지지를 주는 좋은 역할을 감당해 주시기 바랍니다. 공동체에 어른이 많아질수록 그 공동체는 건강하고, 행복한 공동체가 됩니다. 그 좋은 역할을 해 주시기 바랍니다.

인생을 살아가면서 이런 생각을 한 번쯤은 해보시기 바랍니다. "내가 속한 공동체에서 내가 떠나야 할 때가 언제일까?" 이별이라는 관점을 가지고 자신을 돌아보시기를 바랍니다. 그러면 이런 생각이 떠오를 것입니다. "남은 시간 동안 내가 무엇을 해야 할까?"라는 질문을 떠올리게 됩니다. 무엇을 해야 할까요? 이 질문이 우리 자신을 성찰하게 만듭니다. "그동안 나는 무엇을 해 왔고, 남은 시간 동안 나는 무엇을 해야 할까?" 이 깊은 고민 속에 새로운 마음과 각오를 품게 되면서 내 삶의 자세가 변하게 됩니다.

"내 인생을 다 산후 내 묘비에는 어떤 글귀가 쓰여 있을까요?" 어떤 책 속에 기록된 글귀입니다. 내 묘비에 어떤 글귀가 쓰일까요? 내가 살아온 삶의 모습 속에서 남겨진 사람들이 기록할 것입니다. 한번 깊이 생각해 보시기 바랍니다. 자신의 묘비에 어떤 말이 기록되었으면 좋을지 생각해 보시기 바랍니다. 그 글귀에 맞는 삶을 지금부터 살아가시기를 바랍니다. 그러면 내 인생의 마지막에 내 묘비에 그 글귀가 쓰일 것입니다.

우리의 삶은 늘 새로운 시간으로 펼쳐져 있습니다. 그래서 새로운 마음을 가지고 살아야 합니다. 소망과 희망을 마음에 품고, 내 옆에 있는 사람들의 소중함을 느끼며, 이기주의에서 이타주의로 나아가는 모습을 보이며 살아야 합니다. 역지사지의 관점을 늘 견지하시기 바랍니다. 자신을 합리화하기보다, 상대방의 마음을 이해하려고 노력하시기 바랍니다. 상대방의 마음이 이해되면 어른이 되어 가는 것입니다. 공동체에서 어른이 되어 가 주시기 바랍니다. 그래야 나도 행복하고 이웃도 행복합니다.

우리 팀의 힘

사람이 태어나 가장 먼저 속하는 공동체는 가정입니다. 부모님의 사랑 속에 아기는 무럭무럭 자라납니다. 어린이가 되고, 청소년이 되고, 청년이 됩니다. 사랑하는 사람을 만나 부모와 분리되어 새로운 가정을 만들게 됩니다. 가정의 분화는 정상적인 과정입니다. 새로운 가정 속에 새로운 생명이 태어나고, 부모의 사랑 속에 잘 양육되어갑니다. 이런 순리의 과정에 우리가 존재합니다. 가족은 혈연관계로 맺어진 관계입니다. 그래서 옛말에 "피는 물보다 진하다"는 말처럼 가족의 사랑은 끊을래야 끊을 수 없습니다. 가족은 이 세상에서 내가 가장 사랑하는 팀입니다. 공동체입니다. 내가 할 수 있는 최대한의 사랑으로 지켜야 하고, 섬겨야 하는 팀이요, 공동체입니다.

부모님은 가정을 위해 자신을 희생하십니다. 왜 자신을 희생하면서까지 가정을 지키려고 하실까요? 그것은 자녀에 대한 사랑 때문입니다. 이 세상 무엇으로도 바꿀 수 없는 소중한 존재이기에 조건 없는 사랑으로 품어주십니다. 그래서 부모님의 사랑은 하늘보다 높고, 바다보다 넓다고 합니다. 우리는 모두 이 부모의 사랑을 받고 자랐습니다. 이 사랑을 후대들에서 또 내려주어야 할 사명이 우리 각자에게 있습니다. 이 귀한 사명이 있음을 아는 사람이 철이 든 사람입니다. 부모님을 본받아 자녀 사랑을 몸으로 실천하며 사시기 바랍니다. 때때로 힘들 때도 있겠지만, 잘 견디시기를 바랍니다. 견디다 보면 행복한 날이 찾아옵니다. 쉼과 새 힘을 얻는 행복한 시간이 찾아옵니다. 잘 견디시기를 바랍니다.

내가 속해 있는 팀에서 맡겨진 역할을 잘 감당하시기 바랍니다. 일반적으로 사람들이 모이면 그 모임 속에 갈등이 있을 수밖에 없습니다. 이 갈등을 어떻게 잘 해결하고, 포용하는 마음을 품게 만드냐가 중요합니다. 갈등의 해결은 서로의 필요조건을 잘 맞추는 것입니다. 이해와 양보라는 방법을 통해 갈등을 해소하시기 바랍니다. 만약 갈등의 당사자가 되셨다면, 속히 갈등을 해결할 수 있는 방법을 찾으시기 바랍니다. 만약 갈등의 중재자가 되셨다면 양쪽의 이야기를 잘 경청하시고 좋은 묘안을 찾으시기를 바랍니다. 개인의 노력과 제삼자의 중재가 있으면 대부분의 갈등은 해결이 됩니다. 갈등이 잘 해결되고 나면 이전보다 더 가까운 이웃이 됩니다. 가까운 이웃이 된다는 것은 참 행복한 일입니다. 이 행복한 일을 경험해 보시기 바랍니다.

집단지성이라는 말이 있습니다. 나 혼자 생각으로 해결하기보다 여러 사람의 지혜를 빌리는 좋은 방법입니다. 집단지성의 선택이 모두 옳은 것은 아닙니다. 모두 성공하는 것은 아닙니다. 과정 중에서 일어날 수 있는 모든 일을 살펴보고, 정리하는 과정을 통해 최고의 선택이 무엇인지를 발견하는 것입니다. 지금은 집단지성의 시간입니다. 만약 집단지성의 선택이 성공이라면 참여한 모든 사람의 마음이 하나가 되어 결실을 본 것입니다. 만약 집단지성의 선택이 실패라면 최고의 선택을 하지 못하고 차선의 선택을 한 것입니다. 무엇 때문에 실패에 이르게 되었는지를 점검하면서 그 해결 방법을 모색하게 됩니다. 또다시 집단지성을 통해 해결 방법을 찾아 성공에 이르게 만듭니다. 이 모든 과정을 통해 서로를 향한 신뢰가 쌓이고, 함께 고생한 시간 속에 동지애가 만들어집니다. 집단지성은 많은 사람을 한 마음으로 이끄는 방법입니다. 시간이 걸리기는 하지만, 좋은 방법임에는 틀림이 없습니다.

내가 속한 조직 속에서 나의 역할이 무엇인지 생각해 보시기 바랍니다. 구성원으로 어떤 위치와 권한이 주어져 있는지 살펴보시기를 바랍니다. 그 권한을 잘 사용하시기 바랍니다. 권한을 행사한다는 것은 책임질 일에 대한 책임을 질 각오를 하고 있다는 것입니다. 주어진 권한에 대한 책임의 무게를 꼭 생각하시며 권한을 행사하시기 바랍니다. 책임을 지는 자세로 하는 모든 일은 좋은 결과를 가져다줄 것입니다. 책임을 지는 사람은 의지가 강한 사람이요, 사람들에게 신뢰는 받는 사람입니다. 그래서 결과가 좋을 수밖에 없습니다. 권한을 행사해야 할 때, 권한을 행사하시기 바랍니다. 권한을 함부로 사용하면 사람들의 신뢰를 잃게 됩니다. 권한을 시의적절하게 사용하면 사람의 신뢰를 얻게 됩니다. 사람들의 지지를 얻게 되면 모든 일을 순조롭게 진행하는 좋은 결과를 얻게 됩니다. 사람들의 마음을 얻으시기를 바랍니다. 우리 모두에게 좋은 일이 생겨날 것입니다.

　팀장과 팀원에게 중요한 것은 "우리는 한 팀"이라는 생각입니다. 어떻게 하면 한 팀이라는 유대감을 만들어 낼 수 있을까요? 먼저 팀장이 잘해야 합니다. 잘해야 한다는 것은 팀원들을 위해서 자신을 희생할 줄 아는 선택과 결정을 내릴 용기 있는 팀장 되어야 한다는 것입니다. 자신을 희생하면서 팀원들을 섬기는 모습은 팀원들의 마음을 움직입니다. 팀원들의 마음을 얻게 되면 모든 일을 해 낼 수 있습니다. 혼자 하는 것이 아니라 함께 하는 것이기에 좋은 결과를 만들어 내게 됩니다. 두 번째는 팀원들이 잘해야 합니다. 팀장의 지도력을 인정하고 협력하면서 좋은 결과를 만들어 가야 합니다. 팀이 잘되는 것이 곧 내가 잘되는 것이라는 보편적인 진리를 알고 일해야 합니다. 한 사람, 한 사람의 수고의 땀이 모여 좋은 결과가 만들어진다는 인생의 진리를 삶 속에서 경험하시기 바랍니다.

　타인의 노력과 땀을 기억해 주시기 바랍니다. 인생은 혼자 살아가는 것이기도 하지만, 더불어 사는 것이 되어야 합니다. 외로움과 고독함은 우리의 인생에서 가장 경계해야 할 정신적 질병입니다. 더불어 살아가면 이런 외로움과 고독이라는 질병이 우리에게 가까이 오지 못할 것입니다. 서로서로 수고를 알아주시기를 바랍니다. 서로에게 손뼉을 쳐 주시기 바랍니다. 알아주는 것, 손뼉을 쳐 주는 것 이런 작은 행위가 우리의 인생에 기쁨과 행복을 만들어 줍니다. 경청과 칭찬을 실천하시기 바랍니다. 타인의 노력과 땀을 기억해 주는 좋은 행동입니다.

도움 골

우리가 잘 아는 낱말 중에 존중과 배려라는 낱말이 있습니다. 이 낱말은 자신을 향하기보다 타인을 향하는 낱말입니다. 이 낱말에는 타인을 먼저 생각하라는 의미가 담겨 있습니다. 타인을 존중하고 배려하면 나에게도 존중과 배려라는 따뜻함이 반사되어 옵니다. 인생을 살아가면서 존중과 배려는 인격의 가장 기본이 되는 행위입니다.

존중과 배려가 잘 실천되고 있는지를 알려면, 사람들과의 대화를 잘 들어보면 됩니다. 존댓말을 사용하는지 여부, 목소리 톤의 높낮이 여부를 살펴보면 됩니다. 나이의 차이에 따라 하대하거나, 지위의 높낮이에 따라 말을 함부로 한다면 존중과 배려가 잘 실천되지 않는 곳이라 평가할 수밖에 없습니다.

존중과 배려는 그 사람의 인격의 수준을 나타냅니다. 사람은 시간의 흐름 속에 나이를 먹게 됩니다. 나이를 먹어가면서 사람의 소중함을 더욱 느끼게 됩니다. 그래서 어린아이에게도 처음 만나면 존중의 의미로 존댓말을 사용해줍니다. 한 사람의 소중함을 마음의 무게로 느끼는 사람은 말과 행동에 있어 존중과 배려가 나타납니다.

　　존중과 배려는 그 공동체의 행복 수준을 나타냅니다. 사람이 사는 모든 곳에는 문제가 발생합니다. 이 문제를 어떻게 해결해 나가는지의 모습을 살펴보면 공동체의 성숙도를 알 수 있습니다. 혼자 해결하도록 내버려 두느냐, 함께 그 일을 해결해 나가느냐에 따라 구별이 됩니다. 한사람이나 소수의 희생을 강요해서는 안 됩니다. 한사람, 한 사람의 마음이 모여 함께 일을 해결해 가야 합니다. 그래야 그곳이 사람이 살만한 곳이고, 행복한 공동체가 되는 것입니다.

　　경기에서 골은 마지막 한 사람이 넣습니다. 그 골을 넣기까지 함께 해준 사람들이 있다는 것을 아는 사람이 성숙한 사람입니다. 내 삶에 도움을 주는 사람들, 조력자의 존재를 인지하고 살아가시기를 바랍니다. 그래야 내 행복과 타인의 행복을 함께 가져갈 수 있습니다. 나 혼자의 행복은 일시적이지만, 나의 행복과 타인의 행복이 함께 하면 그 행복은 오래갑니다. 아니 평생에 아름다운 추억으로 남게 됩니다.

존중과 배려는 어느 사람에게나 좋은 결과를 가져다주는 삶의 실천적 명령입니다. 존중과 배려를 삶 속에서 실천하시기 바랍니다. 말을 함에 있어 존댓말을 통해 존중의 의미를 전하시기 바랍니다. 행동을 통해 도움의 손길을 펼치시기를 바랍니다. 이 세상에 우리가 함부로 할 사람은 존재하지 않습니다. 내가 만나는 모든 사람이 소중한 사람들입니다. 소중한 사람으로 대하시기 바랍니다.

앞만 바라보고 사는 것보다 주위를 둘러보며 사는 것이 우리의 삶을 행복하게 만듭니다. 자동차를 타고 가면 앞만 보게 되어 있습니다. 걸어가면 앞도 보고 옆도 볼 수 있습니다. 인생은 무조건 속도로 결정되지는 않습니다. 천천히 내 주위의 사람들과 더불어 살아가는 삶의 행복을 느끼는 것이 인생을 잘 사는 비결이라고 선진들이 가르쳐 주고 있습니다. 더불어 살아가는 인생을 지향하시기 바랍니다. 그 속에 나의 행복한 인생이 담겨 있습니다.

존중과 배려, 내 삶의 키워드로 삼으시기를 바랍니다. 내 삶을 성숙하게 만드는 도구로 사용하시기 바랍니다. 어른이 되어가면서 꼭 갖추어야 할 품격으로 삼으시기를 바랍니다. 그래야 존경이라는 칭호를 받을 수 있습니다. 함께 한 사람들이 인정하는 좋은 삶, 그 삶의 결과가 존경이라는 낱말로 귀결됩니다. 후대들에게 존경받을 만한 삶을 사시기 바랍니다. 주안에서 존중과 배려를 실천하는 믿음의 사람들이 되시기 바랍니다.

공감

공감은 상대방의 마음을 아는 정도를 의미합니다. 여기서 안다는 것은 이해한다는 말로 바꿀 수 있습니다. 그래서 공감은 상대방의 마음을 이해하는 정도를 나타냅니다. 만약 상대방을 잘 이해했다면 그 마음의 상태를 잘 알고 있다는 것입니다. 공감을 통해 상대방에게 필요한 말을 전함으로 그의 마음에 위로와 격려 그리고 칭찬하게 됩니다.

공감이라는 낱말과 유사한 사자성어를 선정한다면, 이심전심(以心傳心)입니다. 이심전심의 의미는 마음과 마음으로 뜻이 통한다는 의미입니다. 뜻이 통한다는 것은 생각하고 지향하는 바가 같다는 말입니다. 뜻이 같고, 생각하는 방향이 같은 사람을 동지 (同志)라고 합니다. 인생에서 동지를 만난다는 것은 참 좋은 일입니다.

큰일을 도모할 수 있는 사람을 만난 것이기 때문입니다.

　공감 능력은 사람에 대한 이해와 사람에 대한 따뜻한 마음이 있어야 생겨납니다. 생명의 소중함과 더불어 함께 살아가는 소중한 이웃이라는 생각이 바탕에 있어야 합니다. 사랑이 마음, 따뜻한 마음이 있어야 진정한 공감 능력이 생겨납니다. 공감 능력은 사람과 사람 사이의 문제를 해결하는 좋은 능력입니다. 서로의 마음을 알기에 어떻게 위로하고, 격려해야 하는지를 압니다. 그래서 공감 능력은 사람의 마음을 치유하는 놀라운 기적을 만들어 냅니다.

　공감은 마음을 살피는 일입니다. 어린아이의 마음을 잘 살펴보시기를 바랍니다. 그 마음을 알아주고, 칭찬해 주시기 바랍니다. 그러면 아이의 얼굴에 미소가 지어지고, 선생님의 말씀을 잘 따르게 됩니다. 교육은 마음을 살피는 일이라고 정의해도 무방할 것입니다. 자라나는 학생들의 마음을 알고, 그에게 필요한 것을 잘 안내하고 이끌어 가는 것이 교육입니다. 지식을 전달하는 것만이 아니라, 인생을 살아가면서 꼭 필요한 것을 알려주고, 이웃과 더불어 살아가는 좋은 방법을 경험하게 해 주어야 합니다.

　어른의 마음을 잘 살펴보시기를 바랍니다. 외로움과 공허함으로 인해 힘들어합니다. 그 마음을 알아주시기를 바랍니다. 함께 대화를 나누어 드림으로 외로운 마음을 채워주시기를 바랍니다. 함께 식사함으로 공허한 마음을 채워주시기를 바랍니다. 누군가의 옆에 있어 주는 것, 이것이 공감의 실천적이 모습입니다. 시간과 에너지가 필요한 일입니다. 중요한 것은 시간과 에너지를 사용한 결과가 긍정이라는 것입니다. 내 인생의 시간과 에너지를 좋은 일을 위해 사용하시기 바랍니다. 공감은 내 인생의 의미를 만들어 가는 좋은 능력입니다.

공감을 통해 얻는 유익이 있습니다. 좋은 사람을 얻습니다. 오랜 친구와 좋은 이웃은 서로의 장단점을 모두 알고 있습니다. 모두 알기에 함께 웃고, 함께 울어줄 수 있습니다. 함께 하는 시간이 늘어나면서 더욱 서로에 대해 깊은 이해를 하게 됩니다. 깊은 이해를 통해 인생길을 함께 걸어가는 동행자가 됩니다. 좋은 이웃사촌이 됩니다. 공감을 통해 좋은 친구, 좋은 이웃을 만들어 가시기 바랍니다.

공감의 출발은 따뜻한 시선입니다. 이웃을 따뜻한 시선을 바라보시기를 바랍니다. 어린아이도 자신을 바라보는 눈빛을 알아차리고 반응합니다. 따뜻한 시선으로 바라봐 주시기 바랍니다. 그리고 얼굴에 미소를 담는 것입니다. 따뜻한 시선과 미소는 최고의 아름다움입니다. 미인(美人)이라는 말은 아름다움을 담고 있는 사람이라는 말입니다. 그 아름다움은 따뜻한 시선과 미소입니다. 이 두 가지를 담고 있는 사람 모두가 미인입니다. 오늘 하루 미인이 되어 주시기 바랍니다. 내일도, 모래도...

신뢰의 문

우리 삶에는 늘 새로운 시작이 있습니다. 자고 일어나면 어제가 아닌 오늘이라는 새로운 시간이 시작됩니다. 일주일을 살면 새로운 한주가 또 시작됩니다. 한 달을 살면 또 새로운 한 달이 시작됩니다. 일 년을 살면 또 새해가 시작됩니다. 새해를 맞이하면 올 한 해 동안 어떻게 살아가야 할까? 자신에게 질문하면서 꿈과 계획을 세우게 됩니다. 우리의 삶은 다람쥐 쳇바퀴가 아닙니다. 늘 새로운 시작이 있는 삶입니다.

늘 새로운 시작이 있는 삶이 내 삶이라는 생각을 분명히 가지시기 바랍니다. 그래야 어제의 아픈 기억이 오늘의 새로운 시간에 영향력을 갖지 못하도록 만들 수 있기 때문입니다. 어제의 실수와 잘못은 과거에 일어난 일입니다. 그 실수와 잘못이 새로운 시간을 살아가는 우리의 발목을 잡지 못하도록 하시기 바랍니다. 그렇다고 반성하지 말고 자기 멋대로 살아도 된다는 말은 아닙니다. 철저한 자기반성과 자아 성찰을 통해 같은 실수와 잘못을 반복하지 않겠다는 다짐과 결심을 마음에 품고 새로운 시간을 살아가야 한다는 말입니다.

우리 인생 가운데 가장 필요한 말은 사랑입니다. 그리고 그 사랑이라는 말속에는 용서라는 말이 담겨 있습니다. 타인의 잘못을 용서하기도 하지만, 타인에게 잘못한 일에 대하여 용서를 구하기도 합니다. 용서하는 입장과 용서를 구하는 입장 모두를 경험하며 살아가는 것이 인생입니다. 용서를 해주시기 바랍니다. 용서를 구하시기를 바랍니다. 이 작은 용기가 내 인생을 얼마나 편안하게 만드는지 경험해 보시기 바랍니다. 용서를 하는 것과 용서를 받는 것은 다른 입장이지만, 얻게 되는 유익함을 모두 같습니다.

우리 인생 가운데 용서라는 낱말을 통해 신뢰라는 관계를 만들어 보시기 바랍니다. 용서는 사랑으로 감싸 안는 모습을 나타내는 말입니다. 사랑은 위대합니다. 그 어떤 실수와 잘못도 용납하게 해줍니다. 그리고 모든 것을 원점으로 돌려 놓아줍니다. 다시 시작할 수 있는 기회를 만들어줍니다. 용서를 통해 원점에서 다시 시작 하게 되는 인간관계를 잘 맺으시기를 바랍니다. 그러기 위해서 약속을 잘 지켜야 합니다. 약속을 하나하나 지켜가면서 신뢰가 쌓이게 되고, 좋은 인간관계가 만들어집니다.

신뢰가 쌓이게 되고, 신뢰의 문이 열리면 그 어떤 상황 속에서도 서로를 의지하며 나아갈 수 있는 인생의 동행자와 협력자가 만들어집니다. 신뢰는 혼자 쌓아가는 것이 아닙니다. 혼자 여는 것이 아닙니다. 함께 쌓아가고, 함께 열어가는 것입니다. 신뢰의 관계 속에는 믿음이 존재합니다. 믿음이란 변하지 않는 마음입니다. 어떤 상황 속에서도 그럴 사람이 아닌 것을 확신하며, 그럴만한 이유가 분명히 존재할 것이라 믿는 것입니다. 이 믿음이 큰일을 도모할 수 있는 토대가 되어줍니다. 신뢰, 믿음의 관계를 만들어 가시기 바랍니다.

우리의 인생길을 걷다 보면 종종 오해가 발생합니다. 오해는 타인에 의해서 들어오기도 하지만, 내가 만들어 내기도 합니다. 오해를 푸는 방법에는 타인의 변명이 필요합니다. 그리고 내 생각의 관점을 달리하는 방법도 필요합니다. 오해를 푸는 주체는 자기 자신입니다. 그러므로 역지사지의 관점에서 상대방의 변명을 받아들이는 넓은 마음을 가질 필요가 있습니다. 또 한 가지는 내가 잘못 생각해서 만들어진 오해는 다른 관점에서 생각해 보면서 풀어가는 것이 필요합니다. 오해는 인간관계를 소원하게 만들어 버립니다. 소원하게 된 인간관계는 더 나아가 깨어짐과 단절을 만들게 됩니다. 오해는 가능한 빠르게 푸시기를 바랍니다.

신뢰, 이 말은 서로가 잘해야 만들어지는 것입니다. 내 옆에 있는 가족들에게 잘하시기를 바랍니다. 친구들에게 잘하시기를 바랍니다. 이웃들에게 잘하시기를 바랍니다. 신뢰를 얻어 믿을만한 사람이 되어주시기를 바랍니다. 내 옆에 있는 사람에게 믿을만한 사람이 되어준다는 것은 머나먼 인생길을 함께 걸어가는 동무가 되어준다는 소중한 의미가 있습니다.

인생길에서 길동무가 되어주시기를 바랍니다. 서로에게 위로와 격려가 되는 말을 주고받으며, 새로운 공간과 시간을 향해 함께 나아가는 동행자가 되어주시기를 바랍니다. 이웃사촌이라는 말속에 담긴 따뜻함이 우리의 마음에 늘 느껴지기를 소망합니다. 한 공간에서, 함께 일하며, 뜻을 같이하는 사람들, 그 사람들이 나에게 소중한 사람들입니다. 서로에게 소중한 사람이 되어주는 행복한 인생을 살아가시기를 바랍니다. 새로운 시작, 그 지점에서 함께 해주는 좋은 사람이 되어주시기를 바랍니다.

존재의 중심

우리가 살아가는 인생을 두 가지로 이야기합니다. 행복한 인생, 불행한 인생입니다. 행복한 인생은 무엇일까요? 불행한 인생은 무엇일까요? 무엇이 행복한 것이고, 무엇이 불행한 것일까요? 그 기준에 대해서 깊이 생각해 보시기 바랍니다. 내 마음에 들면 행복하고, 내 마음에 들지 않으면 불행하다고 정리해 본다면, 올바른 기준이 될까요? 나를 기준으로 한다면, 이 세상에는 기준이 없는 것과 마찬가지입니다. 그 기준이 60억 개 이상이 되기 때문입니다.

기준이라는 것은 수많은 사람이 인지하고, 그것을 사용하기로 동의한 것을 의미합니다. 측량하는 단위들이 기준을 잘 가르쳐 줍니다. 무게를 재는 단위, 길이를 재는 단위, 부피를 재는 단위 등등입니다. 그럼 행복을 재는 단위는 무엇일까요? 두 가지의 기준이 있습니다. 하나는 감사이고, 또 하나는 만족입니다. 감사의 고백이 많으면 행복한 것이고, 만족이 많으면 행복이 지속되는 것입니다.

행복한 인생을 살고 싶은 것이 인지상정입니다. 그렇다면 감사라는 표현을 삶에서 늘 생각하며 사시기 바랍니다. 내게 주어진 환경과 상황과 소유에 대해서 감사한 시각으로 바라보시기를 바랍니다. 그러면 하나둘 모든 것이 내게 소중하게 느껴지고, 내게 의미가 되고, 내 삶의 자취가 되는 것을 느끼게 됩니다. 이런 깊은 성찰의 과정에서 진실한 감사의 고백이 생겨납니다. 행복은 이런 깊은 자기성찰의 과정에서 고백함으로 만들어지는 것입니다.

행복한 인생을 지속하기 위해서는 만족에 대해 깊이 생각해 보아야 합니다. 인간은 기본적으로 욕심이라는 것을 가지고 있습니다. 이 욕심은 그 무엇으로도 채울 수가 없는 것입니다. 그래서 인간은 무엇으로도 만족할 수 없는 존재입니다. 인간의 불행은 이 만족을 얻지 못해서이기도 합니다. 그럼 어떻게 해야 할까요? 간단합니다 욕심을 버리는 것입니다. 욕심을 가지고, 욕심을 채움으로 만족하고 행복하기를 원한다면 이미 불가능한 것입니다. 본질에 관한 이야기입니다. 욕심을 버려야 만족에 이룰 수 있습니다.

욕심을 버린다는 것은 쉬운 일이 아닙니다. 쉬운 일이었으면 언급도 되지 않았을 것입니다. 인간의 본질적인 것을 스스로 버린다는 것은 어불성설입니다. 자신의 힘과 능력으로 되는 것이 아닙니다. 하나님의 도우심으로 가능한 일입니다. 이 세상의 모든 것을 창조하신 하나님, 인간을 창조하신 하나님, 그 하나님을 아는 것이 욕심을 버리는 방법입니다. 절대자 앞에 서는 것이 자신의 욕심을 버리는 가장 좋은 방법입니다.

하나님은 우리의 욕심을 유일하게 채우실 수 있는 분이십니다. 우리가 그 욕심을 버리고자 한다면, 그 욕심을 버릴 수 있도록 도와주시는 분이시기도 합니다. 왜냐하면 창조주이시기 때문입니다. 욕심을 버리는 것은 자신의 것을 사람들에게 나누어주는 것입니다. 자신의 것을 나누는 것이 욕심을 버리는 가장 좋은 방법입니다. 이런 행위가 곧 이웃 사랑입니다. 이웃 사랑이 곧 욕심을 버리는 좋은 방법입니다. 이웃 사랑의 결과는 행복입니다. 욕심을 버리는 것, 나눔을 실천하는 것, 이웃 사랑을 하는 것, 이 모든 것이 행복을 만들어 가는 과정입니다.

이 세상을 살아가는 우리는 모두 존재의 의미를 늘 인지하며 살아야 합니다. 내가 이곳에 존재하는 이유, 하나님이 나를 이 땅에 살아가게 하신 이유 그 본질적인 이유에 대한 깊이 있는 성찰이 필요합니다. 그래야 인생에서 다가오는 불행에 대하여 잘 견디고 이겨낼 수 있습니다. 시련과 역경이 우리의 삶에 성숙과 성장을 이룬다는 사실을 기억하시기 바랍니다. 나를 지으신 그분이 계시기에 내가 살아갈 이유는 분명합니다. 그 이유의 본질을 바라보며, 내 삶의 발자취를 남겨가시기를 바랍니다. 하루하루를 소중히 여기며,

내게 주어진 시간을 사랑하는 사람들과 함께 사용하시기 바랍니다.

책임을 지는 태도

책임의 사전적 의미는 맡아서 행하지 않으면 안 되는 임무를 가리킵니다. 책임은 내가 꼭 해야만 하는 일입니다. 책임이 맡겨졌다는 것은 그 일을 꼭 해내야 한다는 의미를 담고 있습니다. 나에게는 어떤 책임이 맡겨져 있을까 생각해 보시기 바랍니다. 내게 주어진 책임을 잘 감당하며 살아가시기를 바랍니다. 그러면 내 인생은 책임을 다하는 좋은 인생으로 바뀔 것입니다.

책임(Responsibility)과 책임감 (Sense of responsibility)이라는 낱말이 있습니다. 책임은 맡겨진 일을 의미하고, 책임감은 맡겨진 일을 감당하고자 하는 마음의 자세를 의미합니다. 책임감 있게 책임을 다하는 사람이 되시기 바랍니다. 그리고 다른 사람의 일도 도와줄 수 있는 능력 있는 사람이 되시기 바랍니다. 주어진 인생에서 책임감 있는 모습으로 살아가시기를 바랍니다. 다른 사람들의 모범이 되는 좋은 모습을 보여주시기를 바랍니다.

부부의 책임에 대해서 생각해 보시기 바랍니다. 결혼주례사에 자주 등장하는 문구 중에 "기쁠 때나 슬플 때나, 건강할 때나 아플 때나, 검은 머리 파뿌리가 될 때까지…"라는 표현이 있습니다. 부부의 연을 맺으며 약속한 신의를 인생의 마지막 순간까지 잘 지키라는 당부의 표현입니다. 부부의 신의를 지키는 것은 책임입니다. 부부의 책임을 다하는 좋은 남편과 좋은 아내가 되어 주시기 바랍니다.

부모의 책임에 대해서 생각해 보시기 바랍니다. 자녀를 잘 먹이고, 입히고, 교육할 책임이 주어져 있습니다. 아주 기본적인 책임이며, 중요한 책임입니다. 부모의 사랑이 담긴 책임 있는 모습은 자녀의 삶에 좋은 영향을 줍니다. 먼 훗날 자녀는 부모의 모습을 본받아 자신도 좋은 부모의 책임을 다하는 사람으로 성장하게 됩니다. 부모의 책임을 다하는 좋은 부모가 되어 주시기 바랍니다.

리더의 책임에 대해서 생각해 보시기 바랍니다. 앞장서서 나아가는 사람이 리더입니다. 리더는 공동체를 건강하고 행복하게 만들어 갈 책임이 주어져 있습니다. 그래서 리더는 구성원 한 사람, 한 사람의 몸과 마음을 살피는 일을 해야 합니다. 아픈 사람, 힘들어하는 사람, 괴로워하는 사람, 걱정과 염려가 많은 사람 등등에게 도움을 주고, 위로와 격려를 해 주어야 합니다. 좋은 리더는 자신에게 주어진 책임을 다하는 사람입니다. 좋은 리더가 되어 주시기 바랍니다.

"노블레스 오블리주"라는 낱말이 주는 교훈을 기억하시기 바랍니다. 사회적 신분에 상응하는 도덕적 의무를 다하는 것이라는 뜻을 가진 낱말입니다. 정치, 경제, 사회, 문화적으로 상대적 우위를 점하고 있는 사회지도층이 국가와 사회와 공동체를 위해 헌신해야하는 책무를 가리킵니다. 자신이 서 있는 위치에서 꼭 해야 할 일을 하시기 바랍니다. 리더의 위치에 서 있다면 자신보다 공동체를 위한 결정을 내리는 결단이 필요합니다. 국가와 사회와 공동체를 위해 좋은 리더가 되어 주시기 바랍니다. 그리고 가정을 책임지는 좋은 리더가 되어 주시기 바랍니다.

행복의 치유 효과

행복, 이 글자를 읽는 것만으로도 좋은 느낌이 들게 됩니다. 한 번 내 삶에 주어진 소소한 행복에 대해서 생각해 보시기 바랍니다. 차 한 잔의 여유, 해야 할 일을 마치고 느끼는 성취감, 하루의 일을 마치고 침대에 누워 잠들기 전 느끼는 포근함 등등 소소한 행복이 우리의 일상에 늘 존재하고 있음을 깨닫게 됩니다. 소소한 행복을 느끼며, 얼굴에 미소를 짓는 당신은 행복한 사람입니다.

소소한 행복은 우리에게 감사라는 낱말을 떠올리게 만듭니다. 어제 감사한 일이 무엇이 있었는지 생각해 보시기 바랍니다. 누군가가 나에게 따뜻한 격려의 말을 해 준 일, 누군가가 나를 도와준 일, 누군가가 나에게 차 한 잔을 대접해준 일 등등이 있습니다. 누군가에게 받은 것에 대한 감사와 함께 내가 누군가에게 베푼 일을 통해서 감사한 일도 있습니다. 서로가 서로에게 따뜻한 나눔을 실천하면서 우리의 일상에 소소한 행복이 만들어집니다. 이 소소한 행복을 오늘도 만들어 가시기 바랍니다.

"행복하다"라는 고백을 하며 사시기 바랍니다. 다른 표현으로 "감사하다"라는 말이 있습니다. "행복하다"와 "감사하다"라는 의미가 같은 낱말입니다. 이 두 가지 낱말은 우리의 마음을 치유하는 능력이 있습니다. 인생을 살아가다 보면 보이게, 보이지 않게 우리의 마음에 생채기가 납니다. 그럴 때 두 가지 낱말은 우리 마음에 난 생채기를 치료하는 연고와 같은 역할을 합니다. 행복, 감사 이 두 가지 낱말을 고백하며 사시기 바랍니다. 어떤 상처도 치유하는 능력이 있습니다.

행복한 사람은 양보의 미덕을 실천하며 삽니다. 이웃을 존중하고 배려하며 살기에 조화와 질서가 만들어집니다. 질서가 만들어지면 갈등이 해소되고, 행복을 느끼는 사람이 점점 더 많아지게 됩니다. 행복한 사람이 많아질수록 행복 지수가 높아집니다. 이런 선순환의 구조를 만들어 가야 합니다. 나부터 행복한 사람이 되어야 합니다. 그리고 이 행복으로 인해 양보의 미덕을 실천해야 합니다. 그러면 선순환의 구조를 만들 수 있습니다. 지금, 바로 시작하시기 바랍니다.

지금 내가 서 있는 이곳을 행복하게 만드시기를 바랍니다. 먼

곳이 아닌 지금 내가 서 있는 이곳, 이곳을 행복하게 만들겠다는 다짐과 결심을 하시기 바랍니다. 내 삶의 발자취가 남아 있는 이곳을 바꾸는 것이 내가 할 수 있는 제일 좋은 일입니다. 남이 하겠지보다, 내가 하겠다는 마음을 가져 주시기 바랍니다. 능동적으로 움직이는 소수의 사람만 있으면 변화는 시작됩니다. 그리고 결국 변화는 완성이 됩니다. 변화를 만드는 한 사람이 되어 주시기 바랍니다. 지금 시작하시기 바랍니다. 행복을 만드는 일...

　우리는 언젠가 이곳을 떠납니다. 이곳에서 있었던 시간은 추억으로 남게 될 것입니다. 그렇다면, 추억으로 남게 될 이곳에서의 시간을 어떻게 사용해야 할까요? 곰곰이 생각해 보시기 바랍니다. 수동적으로 살기보다, 능동적으로 사시기 바랍니다. 주어진 일만 하기보다 새로운 일에 도전해 보시기 바랍니다. 그래야 먼 훗날 이곳에서의 시간을 되돌아볼 때 참 열심히 살았다고 고백하게 될 것입니다.

　그리고 함께했던 사람들과 소소한 행복을 만드시기를 바랍니다. 그래야 이곳을 떠난 후 어느 곳에서든 다시 만났을 때 그때의 아름다운 추억을 떠올리며 웃음을 짓게 되는 행복한 일을 만들게 될 것입니다. 오늘 하루는 먼 훗날 차 한 잔을 마시며 나누는 행복한 이야기의 소재가 되는 소중한 하루입니다. 소소한 행복을 만드는 시간으로 사용하시기 바랍니다.

가장 생각하기 좋은 속도

인생을 살아가면서 힘든 시간을 보내고 있다면, 이 질문을 자신에게 해 보시기 바랍니다. "나는 이 땅에 왜 존재할까?" 이 질문을 자신에게 하기 전 조건이 하나 있습니다. 그것은 긍정의 관점에서 생각하라는 것입니다. 이 질문을 부정의 관점에서 사용하면 허무함과 절망감이 더해지면서 잘못된 결론을 내릴 우려가 있습니다. 하지만, 긍정의 관점에서 생각하면 현재의 위기를 견디어 낼 힘과 용기를 얻게 됩니다.

생각하며 사시기 바랍니다. 생각한다는 것은 자신을 위해서 꼭 필요합니다. 이웃을 위해서는 말할 것도 없습니다. 생각할 때 중요한 것은 관점입니다. 바라기는 긍정의 관점에서 모든 것을 바라보시기를 바랍니다. 부정의 관점으로 바라볼 수밖에 없는 상황 속에서도 관점의 전환을 통해 긍정의 결론을 내리시기를 바랍니다. 절망 속에서 희망을 노래하며, 좌절 속에서 용기에 불어 넣어주는 의미 있는 일을 하시기 바랍니다.

질문은 우리 스스로 생각하게 만드는 원동력이 됩니다. "내가 원하는 것이 무엇일까?", "네가 잘하는 것이 무엇이야?", "네가 좋아하는 것은?", "너는 어떻게 생각해?" 등등 내게 주어지는 질문을 통해서 생각하게 됩니다. 우리는 생각을 통해 내가 원하는 것, 잘하는 것, 좋아하는 것 등등에 대한 생각을 정리하게 됩니다. 그리고 그중에서 좋은 것을 선택하고 결정하게 됩니다. 선택하고 결정한 것을 향해 나아가면서 인생의 의미와 가치를 느끼게 됩니다.

우리는 이기주의에서 출발해서 이타주의까지 가야 합니다. 인생은 이기주의에 머물러서는 참된 의미와 가치를 느낄 수 없습니다. 이타주의까지 나아가야 인생의 참된 의미와 가치를 깨달을 수 있습니다. 타자를 위해 존재하는 나를 보면서 인생에 대해 깊은 성찰을 하게 됩니다. 생명의 소중함, 존재의 소중함, 한 사람의 역할, 사명의 필요성 등등을 깨달아가면서 멋진 인생을 살아가게 됩니다.

우리는 누군가와 함께 걸으면서 대화하고, 벤치에 앉아서 대화하고, 차 한 잔을 마시면서 대화합니다. 그 삶의 이야기를 나누는 대화의 시간이 우리의 인생에서 윤활유가 될 때가 있습니다. 삶에 대한 고민과 성찰의 시간이 되기도 합니다. 나의 이야기를 통해 상대방이 힐링이 되기도 하고, 상대방의 이야기를 통해 내가 힐링이 되기도 합니다. 서로가 서로에게 선한 영향력을 끼치는 좋은 모습이 우리의 인생 가운데 있어야 합니다.

가끔 산책하시나요? 가끔 산책하시기를 추천해 드립니다. 동네 한 바퀴를 돌거나, 둘레길을 한번 걸어보시기를 바랍니다. 혼자 걸으면서 주위를 살펴보시기를 바랍니다. 대부분 익숙한 것들이 보이지만, 가끔 낯선 것이 보일 때도 있습니다. "새로운 가게가 생겼네", "가게가 없어졌네!", "누가 새집을 지었네! 좋겠다!"등등. 조용히 소리 없이 변하는 주위 풍경을 통해 내 주변에서 이루어지는 변화의 모습을 정리해 보시기 바랍니다. 나에게 어떤 새로운 변화가 필요한지를 생각하며 작은 변화를 향해 나아가시기를 바랍니다.

인생을 의미 있게 사는 좋은 방법은 생각하며 사는 것입니다. "하나님이 나를 이 땅에 보내신 이유가 무엇일까?" 이 질문의 답을 찾아가는 여정 가운데 인생의 참된 의미와 가치를 깨닫게 됩니다. "나는 누구인가?"라는 철학의 기본질문이 우리로 생각하게 만들고, 그 생각을 통해 우리는 살아계신 하나님, 창조주 하나님을 발견하고, 믿게 된 사람들입니다. 그리스도인입니다. 생각한다는 것, 이 위대한 힘이 나에게 주어져 있습니다. 생각할 수 있다는 능력을 통해 멋진 인생을 만들어 가시기 바랍니다.

어떤 사람으로 살고 있는가?

나이 50을 넘기면 어느 순간 오십견이 찾아온다고 합니다. 오십견은 팔을 정상적으로 들거나 돌리지 못하고, 통증이 오는 증상을 말합니다. 오십견은 말 그대로 나이가 들면서 찾아오는 질병 중 하나입니다. 오십견이 왔다고 그냥 치료받지 않으면 어떻게 될까요? 아마 통증은 더하고, 팔은 들지도 못하게 될 것입니다. 그래서 치료해야 합니다. 의학적 치료를 하고, 팔과 어깨 운동을 하면서 오십견으로 인해 생긴 통증을 완화하고, 팔과 어깨의 회전범위를 정상에 근접하게 만들게 됩니다.

나이를 따라 우리 몸에 질병이 발생합니다. 이 질병의 발생을 예방하고, 건강하게 살고자 한다면 운동해야 합니다. 운동하면 다 건강하게 되느냐고 누군가 되묻는다면 100% 그렇다고 말할 수는 없습니다. 하지만, 운동하지 않는 것보다 건강하게 살 가능성은 매우 크다고 말할 수 있습니다. 우리 몸의 건강을 위해 운동을 해야 한다는 것은 우리가 모두 아는 상식입니다. 몸의 건강을 위해 운동을 꼭 하시기 바랍니다.

우리 몸을 위해 운동한다면, 우리 마음을 위해서는 무엇을 해야 할까요? 마음의 운동을 해야 합니다. 마음의 운동은 성찰입니다. 성찰은 지나간 시간을 되돌아보는 것입니다. 그 시간과 상황을 벗어나서 제삼자의 관점에서 자신을 관찰하는 것입니다. 잘한 것과 잘못한 것을 구분하는 것입니다. 그리고 앞으로 같은 상황과 선택의 귀로에 선다면 성찰한 결과를 삶에 적용하겠다 다짐하는 것입니다. 이렇게 성찰하는 모습이 나에게 있는지 한번 살펴보시기를 바랍니다.

자기 삶을 늘 돌아보는 사람은 말과 행동을 수정해 가는 사람입니다. 인생에서 실수와 실패는 누구나 하는 것입니다. 이 실수와 실패를 날마다 줄여 가는 것이 좋은 인생을 사는 모습입니다. 이 실수와 실패를 줄여가는 방법이 성찰입니다. 나와 너와 우리라는 인간관계 속에서 늘 자신을 돌아보는 것, 그리고 수정해 가는 것이 필요합니다. 날마다 자신의 마음을 조금씩이라도 넓혀가는 노력을 해야 합니다. 그래야 나이가 들어가면서 마음이 넓은 사람이 될 수 있습니다.

인생의 멘토를 정하고, 그의 말과 행동을 잘 살펴보시기를 바랍니다. 그러면 그 모습 속에서 배울 점을 찾게 되고, 그것을 내 것으로 만들어 가면서 나도 누군가에게 좋은 멘토가 된다는 것을 기억하시기 바랍니다. 내가 좋은 멘토라고 생각하는 그 사람도 처음에는 좋은 멘토가 아니었을 것입니다. 그가 좋은 멘토가 되기까지 자신을 성찰하였던 세월이 있었고, 자신의 마음을 조금씩 넓혀갔던 노력이 있었음을 생각해 보시기 바랍니다. 모든 것이 그냥 되는 것은 없습니다.

지금 내가 무엇을 해야 할까요? 가까운 과거의 시간을 돌아보시기를 바랍니다. 그 속에서 나의 실수하고 실패한 모습을 찾으시기를 바랍니다. 같은 실수와 실패를 하지 않는 방법을 찾으시기 바랍니다. 그리고 그것을 기록해 놓으시기를 바랍니다. 기록은 변하지 않습니다. 그 기록을 읽으면서 그 시간의 결심과 각오를 다시 떠올리게 됩니다. 기록 속에 담긴 나의 각오와 결심을 느끼면서 다시 용기를 내게 됩니다. 내 삶의 작은 부분을 수정하면서 성장과 성숙을 향한 발걸음을 내딛게 됩니다.

어른들의 말씀을 귀담아들어야 합니다. 그분들은 내가 살아보지 못한 나이를 살아보신 분들이기 때문입니다. 어른들을 바라보며 내가 저분들의 나이가 되면 나는 어떤 모습일까 상상해 보시기 바랍니다. 인자한 어른의 모습이 되어 주시기 바랍니다. 사람들을 격려하고 위로해 주는 좋은 어른이 되어 주시기 바랍니다. 아픔과 기쁨을 함께 나누어주는 좋은 어른이 되어 주시기 바랍니다. 좋은 어른을 만나도, 내가 좋은 어른이 되고, 내 뒤에 오는 다음 세대에 누군가 좋은 어른이 되어주는 릴레이가 이어지기를 소망합니다.

사람다운 삶을 산다는 것에 대해서 깊이 생각해 보시기 바랍니다. 내 부모님이 나를 바라보시며 어떤 삶을 기대하실까 생각해 보시기 바랍니다. 그리고 하나님이 나를 바라보시며 어떤 삶을 기대하고 계실까 생각해 보시기 바랍니다. 그 기대와 소망을 함께 이루어가는 행복한 인생을 살아가시기를 바랍니다. 오늘 하루가 그 행복한 인생 중 하나입니다.

얼마나 짧은가?

벌써 한 해의 마지막 달인 12월입니다. 순식간은 아니더라도 빠르다는 느낌은 저만의 느낌인지 모르겠습니다. 한 해를 정리하는 시간이 우리에게 주어졌습니다. 한해를 돌아보며 작은 질문들을 자신에게 해 보시기 바랍니다. 올 한해 나에게 소중한 것이 무엇이었지? 나는 무엇을 바라보며 살았지? 나에게 남은 것은 무엇이지? 나에게 도움을 준 사람들은 누구였지? 내가 미처 감사의 말을 전하지 못한 사람은 누구지? 등등

나와 연관이 있는 모든 사람을 대상으로 인간관계의 정리를 해 보시기 바랍니다. 부모님, 자녀들, 친구들, 동료들, 이웃들 한 사람, 한 사람씩 얼굴을 떠올리며 그가 나에게, 내가 그에게 어떤 일을 하며 한 해를 보냈는지 한번 돌아보시기를 바랍니다. 좋은 기억과 나쁜 기억이 교차할 것입니다. 좋은 기억은 좋은 기억대로 아름다

운 추억으로 남기시고, 나쁜 기억은 인생의 교훈으로 삼으시기를 바랍니다. 타인의 잘못으로 모두 규정하기보다, 나의 부족함도 인정하시기 바랍니다. 그래야 인생의 교훈을 얻는 의미 있는 시간이 됩니다.

한 해 동안 인간관계의 거리가 멀어진 사람들이 있습니다. 멀어진 이유에 대해서 곰곰이 생각해 보시기 바랍니다. 상대방의 무례함, 자존심의 상함, 일에 대한 갈등, 오해로 인한 웃음거리, 뒷담화로 인한 모욕감 등등 많은 원인이 있을 것입니다. 이렇게 멀어진 인간관계를 만든 사람은 누구일까요? 나일까요! 상대방일까요! 모두 다 아시겠지만, 다툼과 싸움은 한쪽의 일방적인 경우보다 쌍방에 책임이 있는 경우가 대부분입니다.

가까운 인간관계보다 멀어진 인간관계 속에서 인생의 교훈을 찾으시기를 바랍니다. 나의 부족함과 내 생각과 마음의 좁음에 대해서 한번 점검해 보시기 바랍니다. 부정적인 생각과 넓게 품어주지 못한 나의 선택이 이런 결과를 만들지는 않았는지 곰곰이 생각해 보시기 바랍니다. 후회, 자책에서 머물지 마시고, 성숙함으로 나아가는 첫 발걸음으로 삼으시기를 바랍니다.

사람의 마음은 좁쌀만 하게 작아질 수도 있고, 우주만큼 넓어질 수도 있습니다. 우리의 마음을 얼마만큼의 크기로 만드느냐는 나 자신에게 달려 있습니다. 넓은 마음을 소유한 사람이 되시기 바랍니다. 처음부터 넓은 마음을 소유한 사람은 없습니다. 늘 그 마음의 넓이를 넓혀가는 노력을 하기에 넓은 마음의 소유자가 되는 것입니다. 인생의 연륜과 성숙한 인격을 바탕으로 넓어지는 것이 마음입니다. 나이를 생각하며 마음을 넓히시기를 바랍니다. 인생의 경험을 바탕으로 마음을 넓히시기를 바랍니다. 그러면 넓은 마음의 소유자가 됩니다.

인생이 얼마나 남으셨나요? 남은 시간을 계산해 보시기 바랍니다. 만약 내일이 내 삶의 마지막 날이라면 계산한다는 것이 의미 없는 일이 될 수도 있습니다. 하지만 내 삶의 마지막 날이 언제일지를 모르기에 가늠해 보시고, 남은 시간을 계산해 보시기 바랍니다. 이 남은 인생의 시간을 계산하면서 내 인생의 시간의 유한함을 느껴보시기를 바랍니다. 그리고 이 남은 내 인생의 시간 동안 나는 무엇을 하며 살아야 할지 생각해 보시기 바랍니다. 지금까지의 삶의 모습과 앞으로의 삶의 모습이 어떠해야 할지 곰곰이 생각해 보시기 바랍니다.

원래 시간은 직선과 같습니다. 일자로 쭉 이어진 선과 같습니다. 이 선을 하루, 한 달, 일념으로 구분해서 생각하는 지혜로움이 인간에게 있습니다. 이 지혜를 바탕으로 우리는 시간을 어떻게 사용할지, 어떤 의미를 남길지를 고민하며 소중한 인생의 시간을 사용해야 합니다. 나에게만 인생의 시간이 주어진 것이 아닙니다. 내 옆에 있는 사람들에게도 그들의 인생의 시간이 흘러가고 있습니다.

내 인생의 시간과 이웃의 인생의 시간이 서로 간섭현상을 일으키며 살아가는 것이 인생입니다. 좋은 간섭현상을 주고받으며 행복한 인생을 만들어 가시기 바랍니다. 가능하면 아니, 꼭 좋은 인간관계를 만들어가는 인생을 살아가시기를 바랍니다.

바라기는 이 세상과 아름다운 이별을 하는 날, 이 세상에서 내가 미워하는 사람이 한 사람도 없기를 바랍니다. 또 나를 미워하는 사람이 한 사람도 없기를 바랍니다. 내 옆에 있는 사람들이 나를 기억해 줄 수 있는 좋은 인생을 살아가시기를 바랍니다. 아웅다웅 살기보다, 헤헤 호호하며 사시기 바랍니다. 남은 인생의 시간이 그렇게 길지 않습니다. 만약 길다고 해도 그 긴 시간 행복해야 합니다. 짧은 시간 더 행복해야 합니다.

한 해의 마지막 달 12월, 잠시 쉼의 시간을 가져보며 내 삶의 시간을 정리해 보시기 바랍니다. 부족한 부분을 자책하기보다, 채워야 할 부분으로 정리하시기 바랍니다. 후회되는 일로 괴로워하기보다 사과와 미안함을 표시하며 다시 그런 일을 하지 않을 것을 결단하시기 바랍니다. 인생은 과거의 시간으로 돌아갈 수 없습니다. 지나간 시간은 정리해 놓은 것이 최선이고, 다가오는 시간의 밑거름으로 삼는 것이 지혜로운 결정입니다. 인생이 짧음을 잊지 마시기 바랍니다. 짧은 인생이기에 내 옆에 있는 사람들을 소중하게 대하시기 바랍니다.